第5版

乙種第4類危険物取扱者 スピード問題集

危険物研究会 編

TAC出版
TAC PUBLISHING Group

まえがき

危険物取扱者試験は、受験者数が全国で年間約35万人以上にも達しています。そのうち、乙種第４類の受験者数が約30万人以上を占めています。これは全体の約80％以上に当たります。

その理由としては、以下のことが挙げられます。一つには、わが国で使用される危険物の約98％が第４類の危険物であることによっています。二つには、必然的に多数ある危険物施設における災害の原因となるものも第４類危険物が多いと考えられる結果、資格取得者の需要も多いというのが現状かと思われます。

危険物取扱者の免状は、甲種・乙種・丙種の３つに分類されます。第１類から第６類までのすべてを扱うことができるのが甲種、全６類のうち各類ごとの試験に合格した類のみを扱うことができるのが乙種、乙種第４類のうちガソリンや灯油などの指定された危険物だけを扱うことができるのが丙種です。

試験は３科目に分かれ、合計35題出題されますが、合格するためには各科目とも最低60％の正解率が必要です。１科目でも正解率が60％に満たないと合格できません。国家試験に向けてぜひ本書を活用されて、理解を深めていただきたいものです。

本書の姉妹編として『乙種第４類危険物取扱者スピードテキスト』も同時発売いたしておりますので、本書と併せて活用されればいよいよ万全のことと思います。

読者の合格を心より祈念いたします。

本書の使い方

本書は効率よく学習するための工夫を随所に取り入れました。その大きな特徴は、以下のような立体的解説にあります。

(1) 出題分野順に問題を配置した。

(2) 解説・解答は各章末に配置し、出題の意図が理解できるようそのポイントを丁寧に説明し、読者が必要に応じて適宜確認できるようにした。

(3) 当該の問題には解説には直接かかわりがないようでも、関連重要事項等をまとめて、より理解を深められるようにした。

(4) また、暗記する以外にない法の規定等は表などにまとめて整理した。

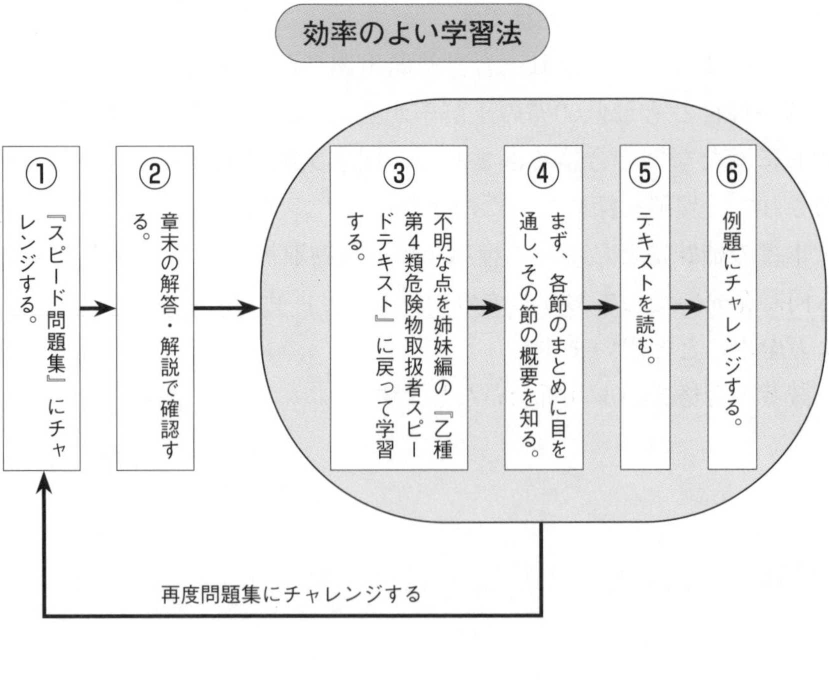

効率のよい学習法

① 『スピード問題集』にチャレンジする。
→ ② 章末の解答・解説で確認する。
→ ③ 不明な点を姉妹編の『乙種第４類危険物取扱者スピードテキスト』に戻って学習する。
→ ④ まず、各節のまとめに目を通し、その節の概要を知る。
→ ⑤ テキストを読む。
→ ⑥ 例題にチャレンジする。

再度問題集にチャレンジする（→ ①）

もくじ

contents

乙種第４類危険物取扱者試験受験ガイド

⑴ 危険物取扱者の種類

危険物取扱者には、甲種・乙種・丙種の３種類がある。

① 甲種……第１類から第６類までのすべてを扱うことができる。

② 乙種……全６類のうち各類ごとの試験に合格した類のみを扱うことができる。

③ 丙種……乙種第４類のうちガソリンや灯油などの指定された危険物だけを扱うことができる。

⑵ 受験資格と受験手続き

危険物取扱者の試験は、「財団法人消防試験研究センター」が実施している。

① 実施時期……各都道府県ごとに試験の種類によってまちまちなので、問い合わせて確認すること。なお、東京都では乙種第４類の試験に関しては、ほぼ毎週実施している。

② 受験資格……乙種・丙種の場合は国籍・年齢・学歴が問われないだけでなく、居住地の制限もない。

③ 受験手続き

消防試験研究センターの支部、または消防機関において、以下の３点がセットで入手できる。

ⓐ 受験案内

ⓑ 危険物取扱者試験受験願書

ⓒ 受験料の振込用紙

上記３点を入手したなら、

㋐ 願書に必要な事項を記入し、写真（縦３cm×横2.4cm）１枚を貼付して、指定場所へ直接持参するか郵送する。ただし、東京都の場合は郵送のみ。その際、郵便局や銀行で振り込んだ受験手数料の振込受付証明書を必ず貼付すること。

㋑　すでに他の乙種の類の危険物取扱者免状を所有している者は、試験科目の一部免除が受けられる。該当する者は、願書の所定欄に既得免状のコピーを貼付する。

(3) 試験内容

乙種第４類危険物取扱者試験の試験科目は、以下の通りである。

①　危険物に関する法令

②　基礎的な物理学および基礎的な化学

ⓐ　危険物の取扱作業に関する保安に必要な基礎的な物理学

ⓑ　危険物の取扱作業に関する保安に必要な基礎的な化学

ⓒ　燃焼および消火に関する基礎的な理論

③　危険物の性質と火災予防・消火方法

ⓐ　すべての類の危険物の性質に関する基礎的な概論

ⓑ　第４類危険物に共通する特性

ⓒ　第４類危険物に共通する火災予防および消火方法

ⓓ　第４類危険物の品名ごとの一般性質

ⓔ　第４類危険物の品名ごとの火災予防および消火方法

ⓕ　出題数は①は15題、②③はそれぞれ10題の計35題である。時間は２時間となっている。

試験はこれら３科目に関する筆記試験であり、実技試験はない。また、出題形式は五肢択一式で、解答方法はマークシート式である。

(4) 合格発表と免状の交付

各都道府県ごとに異なるので、各自確認すること。詳しくは受験案内書に記載されているはずである。なお、東京都の場合は、試験当日の午後に合格発表があり、合格者は会場で「危険物取扱者合格通知書」が手渡される。

また、電話での合否の確認等は受け付けられないので注意する。

免状の申請手続き時には、以下のことに注意する。

① 免状交付申請は、必ず本人が行う。

② 手続き期間や時間を確認する。

③ 申請手数料の納入は、手続き窓口では受け付けていないので確認する。

④ 受験地の都道府県発行の「収入証紙」をあらかじめ市町村役場や出先機関等で購入しておく。なお、東京都の場合には、試験会場の中央試験センター内で購入できる。

申請手続きを終えると、約２週間後には免状の交付を受けることができる。

㈶消防試験研究センター支部一覧

中央試験センター……〒151-0072　東京都渋谷区幡ケ谷1-13-20　☎03-3460-7798
北海道支部……〒060-0005　札幌市中央区北５条西6-2-2　札幌センタービル12階
☎011-205-5371
青森県支部……〒030-0861　青森市長島2-1-5　みどりやビルディング４階
☎017-722-1902
岩手県支部……〒020-0015　盛岡市本町通1-9-14　JT本町通ビル５階
☎019-654-7006
宮城県支部……〒981-0914　仙台市青葉区堤通雨宮町4-17　県仙台合同庁舎５階
☎022-276-4840
秋田県支部……〒010-0001　秋田市中通4-3-23　県消防会館２階　☎018-836-5673
山形県支部……〒990-0025　山形市あこや町3-15-40　田代ビル２階
☎023-631-0761
福島県支部……〒960-8043　福島市中町4-20　みんゆうビル２階　☎024-524-1474
茨城県支部……〒310-0852　水戸市笠原町978-25　㈶茨城県開発公社ビル４階
☎029-301-1150
栃木県支部……〒320-0032　宇都宮市昭和1-2-16　県自治会館１階
☎028-624-1022
群馬県支部……〒371-0854　前橋市大渡町1-10-7　群馬県公社総合ビル５階
☎027-280-6123
埼玉県支部……〒330-0062　さいたま市浦和区仲町2-13-8　ほまれ会館２階
☎048-832-0747
千葉県支部……〒260-0843　千葉市中央区末広2-14-1　ワクボビル３階
☎043-268-0381
神奈川県支部……〒231-0015　横浜市中区尾上町5-80　神奈川中小企業センター７階
☎045-633-5051
新潟県支部……〒951-8135　新潟市関屋新町通2-96-10　関新ビル２階202号
☎025-231-1444
富山県支部……〒939-8201　富山市花園町4-5-20　県防災センター２階
☎076-491-5565
石川県支部……〒920-0912　金沢市大手町15-14　アーバンハイム大手町２階
☎076-264-4884
福井県支部……〒910-0003　福井市松本3-16-10　県福井合同庁舎５階
☎0776-21-7090
山梨県支部……〒400-0031　甲府市丸の内1-9-11　県民会館２階　☎055-227-6039
長野県支部……〒380-8570　長野市大字南長野字幅下692-2　県庁東庁舎１階
☎026-232-0871
岐阜県支部……〒500-8384　岐阜市薮田南1-5-1　第２松波ビル２階
☎058-274-3210
静岡県支部……〒420-0034　静岡市常磐町1-4-11　杉徳ビル４階　☎054-271-7140
愛知県支部……〒461-0011　名古屋市東区白壁1-50　県白壁庁舎２階
☎052-962-1503

三重県支部……〒514-0003　津市桜橋3-446-34　県津庁舎５階　☎059-226-8930

滋賀県支部……〒520-0044　大津市京町3-4-22　滋賀会館北館３階
☎077-525-2977

京都府支部……〒602-8054　京都市上京区出水通油小路東入丁字風呂町104-2
京都府庁西別館３階　☎075-411-0095

大阪府支部……〒540-0012　大阪市中央区谷町2-9-3　近鉄大手前ビル２階
☎06-6941-8430

兵庫県支部……〒650-0011　神戸市中央区下山手通5-12-7　協和ビル７階702号
☎078-361-6610

奈良県支部……〒630-8301　奈良市高畑町菩提1116-6　なら土連会館３階
☎0742-27-5119

和歌山県支部……〒640-8249　和歌山市雑賀屋町51　第２汀ビル２階　☎073-425-3369

鳥取県支部……〒680-0061　鳥取市立川町6-176　鳥取県東部総合事務所４階
☎0857-20-3669

島根県支部……〒690-0882　松江市大輪町420-1　県大輪町団体ビル２階
☎0852-27-5819

岡山県支部……〒703-8245　岡山市藤原25　県自動車会館２階　☎086-271-6727

広島県支部……〒730-0012　広島市中区上八丁堀8-23　林業ビル４階
☎082-223-7474

山口県支部……〒753-0083　山口市後河原松柄150-1　県庁分庁舎２階
☎083-924-8679

徳島県支部……〒770-0939　徳島市かちどき橋1-41　県林業センター４階
☎088-652-1199

香川県支部……〒760-0066　高松市福岡町2-2-2　香川県産業会館４階
☎087-823-2881

愛媛県支部……〒790-0003　松山市三番町4-10-1　県三番町ビル１階
☎089-932-8808

高知県支部……〒780-0823　高知市菜園場町1-21　四国総合ビル４階401号
☎088-882-8286

福岡県支部……〒812-0034　福岡市博多区下呉服町１番15号　ふくおか石油会館３階
☎092-282-2421

佐賀県支部……〒840-0831　佐賀市松原1-2-35　㈶佐賀商工会館西別館２階
☎0952-22-5602

長崎県支部……〒850-0037　長崎市金屋町9-3　市民防火センター２階
☎095-822-5999

熊本県支部……〒862-0976　熊本市九品寺1-18-2　県消防会館２階
☎096-364-5005

大分県支部……〒870-0023　大分市長浜町2-12-10　昭栄ビル２階　☎097-537-0427

宮崎県支部……〒880-0804　宮崎市宮田町1-11　県自治会館３階　☎0985-22-0239

鹿児島県支部……〒890-0067　鹿児島市真砂本町51-22
南国ショッピングセンタービル２階　☎099-213-4577

沖縄県支部……〒900-0029　那覇市旭町14　自治会館５階　☎098-867-5332

※最新情報はホームページで確認できます。
（http://www.shoubo-shiken.or.jp）

乙種第4類 危険物取扱者

スピード問題集

第1章　危険物に関する法令

第2章　基礎的な物理学および基礎的な化学

第3章　危険物の性質・火災予防・消火方法

本書で使用する略称

「法」…………消防法（昭和23年法律第186号）

「危政令」……危険物の規制に関する政令（昭和34年政令第306号）

「危省令」……危険物の規制に関する規則（昭和34年総理府〈現内閣府〉令第55号）

第1章 危険物に関する法令

1 消防法に定める危険物の説明として、正しいものを１つ選びなさい。

⑴ 類が増すごとに危険性が高くなる。

⑵ 甲種・乙種・丙種危険物がある。

⑶ 危険物とは、「消防法別表」の品名欄に掲げる物品で、同表に定める区分に応じ、同表の性質欄に掲げる性状を有するものをいう。

⑷ 危険物は、第１類から第５類まで５種類に分類されている。

⑸ 危険物とは、主として「火薬類取締法」に定める火薬類と同じである。

2 消防法に定める危険物に関する説明として、正しいものを１つ選びなさい。

⑴ 危険物は、常温において、固体・液体・気体がある。

⑵ 危険物は、石油類・火薬類・液化ガス類に分類される。

⑶ 危険物は、第１類から第６類に分類される。

⑷ 危険物は、指定数量が多いほどその危険度が高い。

⑸ 危険物は、引火性または発火性を有する固体・液体・気体がすべて含まれる。

3 消防法に定める危険物に該当するものはどれか。正しいものを１つ選びなさい。

⑴ 塩　酸　　⑵ 一酸化炭素　　⑶ 火薬類

⑷ プロパンガス　　⑸ 酢　酸

4 消防法に定める危険物に該当しないものはどれか。１つ選びなさい。

(1) 硫　黄　　(2) 鉄　粉　　(3) カリウム
(4) ナトリウム　　(5) 液化プロパン

5 消防法「別表備考」の規定として、誤っているものはどれか。１つ選びなさい。

(1) 特殊引火物とは、ジエチルエーテル、二硫化炭素その他１気圧において発火点が100℃以下のもの、または引火点が－20℃以下で沸点が40℃以下のものをいう。
(2) 第１石油類とは、アセトン、ガソリンその他１気圧において引火点が21℃未満のものをいう。
(3) 第２石油類とは、灯油、軽油その他１気圧において引火点が21℃以上70℃未満のものをいう。
(4) 第３石油類とは、重油、クレオソート油その他１気圧において引火点が70℃以上200℃未満のものをいう。
(5) 第４石油類とは、ギヤー油、アマニ油その他１気圧において引火点が200℃以上のものをいう。

6 危険物の品名、性質および指定数量の組み合わせとして、誤っているものはどれか。１つ選びなさい。

	品　名	性　質	指定数量
(1)	第１石油類	水溶性液体	400 ℓ
(2)	第２石油類	非水溶性液体	1,000 ℓ
(3)	第２石油類	水溶性液体	2,000 ℓ
(4)	第３石油類	水溶性液体	4,000 ℓ
(5)	第４石油類	非水溶性液体	6,000 ℓ

7 第４類危険物の指定数量の説明として、誤っているものはどれか。１つ選びなさい。

⑴　特殊引火物の指定数量は、第4類危険物の中で最大である。
⑵　第1石油類の水溶性物品とアルコール類の指定数量は、同一である。
⑶　第1石油類、第2石油類および第3石油類は、水溶性と非水溶性物品とでは、指定数量が異なる。
⑷　第2石油類の水溶性物品と第3石油類の非水溶性物品の指定数量は、同一である。
⑸　第4石油類はアルコール類より指定数量が多い。

8　**屋内貯蔵所において引火性液体Aを2,000ℓ貯蔵している。Aは非水溶性で、1気圧において引火点が－10℃である。Aの指定数量の倍数として、正しいものを1つ選びなさい。**

⑴　2.0
⑵　4.0
⑶　8.0
⑷　10.0
⑸　20.0

9　**複数の危険物A、B、Cを同一の貯蔵所で貯蔵する場合の指定数量の倍数の求め方として、正しいものを1つ選びなさい。**

⑴　A、B、Cの貯蔵量の和をA、B、Cの指定数量の和で除す。
⑵　Aの指定数量をAの貯蔵量で除し、Bの指定数量をBの貯蔵量で除し、Cの指定数量をCの貯蔵量で除して、それぞれに得た数値を合計する。
⑶　Aの貯蔵量をAの指定数量で除し、Bの貯蔵量をBの指定数量で除し、Cの貯蔵量をCの指定数量で除して、それぞれに得た数値を合計する。
⑷　Aの貯蔵量をAの指定数量で除し、Bの貯蔵量をBの指定数量で除し、Cの貯蔵量をCの指定数量で除して、それぞれに得た数値を乗じる。
⑸　A、B、Cの貯蔵量の和をA、B、Cのそれぞれの指定数量を乗じた数値で除す。

10 ガソリン1,000ℓ、軽油1,000ℓ、重油1,000ℓ、メチルアルコール1,000ℓを、屋内貯蔵所に貯蔵する場合の指定数量の倍数として、正しいものを1つ選びなさい。

(1) 5倍
(2) 7倍
(3) 9倍
(4) 11倍
(5) 13倍

11 法令上の危険物の規制について、誤っているものを1つ選びなさい。

(1) 危険物に係る法令上の規制は、「指定数量以上の危険物の貯蔵または取扱い」「指定数量未満の危険物の貯蔵または取扱い」「危険物の運搬」の3つに大別される。
(2) 指定数量未満の危険物の貯蔵または取扱いに関しては、各市町村の火災予防条例において規制されている。
(3) 危険物の運搬に関しては、その数量に関係なく、消防法・政令・規則及び告示によって規制されている。
(4) 指定数量以上の危険物の貯蔵は、製造所等のうち貯蔵所でのみ貯蔵できる。したがって、製造所・取扱所では取扱いはできるが、貯蔵はできない。
(5) 指定数量以上の危険物の貯蔵・取扱いは、例外として、消防長または消防署長の承認を受ければ10日以内に限り、仮に貯蔵し、または取り扱うことができる。

12 法令上の危険物の規制について、誤っているものを1つ選びなさい。

(1) 指定数量未満の危険物の貯蔵・取扱いに関しては、各市町村条例によって規制されており、その運搬に関しても同様である。
(2) 指定数量以上の危険物の貯蔵・取扱いに関しては、危険物施設としての規制と仮貯蔵・仮取扱いとしての規制がある。

(3) 危険物に関する規制のなかには、数量に関係なく積載方法・容器・運搬等の規制がある。

(4) 指定数量以上の危険物の貯蔵・取扱いに関しては、許可または承認が必要である。

(5) 航空機・船舶・鉄道または軌道による危険物の貯蔵、取扱いまたは運搬については、消防法の適用は除外されている。

13 **消防法別表に示されている危険物の性質として、誤っているものはどれか。1つ選びなさい。**

(1) 第1類危険物は、酸化性固体である。

(2) 第2類危険物は、引火性固体である。

(3) 第4類危険物は、引火性液体である。

(4) 第5類危険物は、自己反応性物質である。

(5) 第6類危険物は、酸化性液体である。

14 **消防法別表に示されている危険物の性質と品名の組み合わせとして、誤っているものはどれか。1つ選びなさい。**

(1) 酸化性固体……塩素酸塩類・硝酸塩類

(2) 可燃性固体……硫黄・赤リン

(3) 自然発火性物質および禁水性物質……カリウム・ナトリウム

(4) 引火性液体……特殊引火物・硝酸

(5) 自己反応性物質……ニトロ化合物・アゾ化合物

15 **次の( )に該当する語句として正しいものを1つ選びなさい。**
「第1石油類とは、アセトン、ガソリンその他1気圧において引火点が( )のものをいう。」

(1) −20℃以下　(2) 21℃未満　(3) 21℃以下

(4) 21℃以上70℃未満　(5) 70℃以上200度未満

16 製造所等の記述として、誤っているものはどれか。１つ選びなさい。

(1) 一般取扱所……………固定した給油設備によって自動車等の燃料タンクに直接給油する目的で、危険物を取り扱う取扱所。
(2) 屋内貯蔵所……………屋内において危険物を貯蔵し､取り扱う貯蔵所。
(3) 簡易タンク貯蔵所……簡易タンクにおいて危険物を貯蔵し、取り扱う貯蔵所。
(4) 移動タンク貯蔵所……車両に固定されたタンクによって危険物を貯蔵し、取り扱う貯蔵所。
(5) 第１種販売取扱所……店舗において容器入りのままで販売する目的で、指定数量の15倍以下の危険物を取り扱う貯蔵所。

17 製造所等の区分について、正しいものを１つ選びなさい。

(1) 製造所とは、ボイラーで重油等を消費する施設をいう。
(2) 屋内貯蔵所とは、屋内にあるタンクで危険物を貯蔵し、または取り扱う貯蔵所をいう。
(3) 屋外貯蔵所とは、屋外の場所において、第１類危険物、第２石油類・第３石油類・第４石油類もしくは動植物油類を貯蔵し、または取り扱う貯蔵所をいう。
(4) 第１種販売取扱所とは､店舗において容器入りのままで販売するため、指定数量の倍数が15以下の危険物を取り扱う施設をいう。
(5) 給油取扱所とは、固定された給油設備において自動車の燃料タンクまたは運搬容器に給油する取扱所をいう。

18 販売取扱所についての説明で、正しいものを１つ選びなさい。

(1) 店舗において容器入りのままで販売する施設である。ただし第４類の危険物は小分けすれば販売することができる。

⑵　第１種販売取扱所の用に供する部分について、壁やはりの構造規制はない。

⑶　第１種販売取扱所では、第４類の危険物以外も取り扱うことができる。

⑷　指定数量の倍数が15を超え40以下のものを、第１種販売取扱所という。

⑸　指定数量の倍数が15以下のものを、第２種販売取扱所という。

19　**ガソリンを貯蔵することができない貯蔵所はどれか。１つ選びなさい。**

⑴　屋内タンク貯蔵所

⑵　地下タンク貯蔵所

⑶　屋外タンク貯蔵所

⑷　屋内貯蔵所

⑸　屋外貯蔵所

20　**製造所等を設置する場合の許可権者として、誤っているものを１つ選びなさい。**

⑴　消防本部及び消防署を設置している市町村の区域（移送取扱所を除く）にあっては、その区域を管轄する消防署長である。

⑵　消防本部及び消防署を設置していない市町村の区域（移送取扱所を除く）にあっては、その区域を管轄する都道府県知事である。

⑶　消防本部及び消防署を設置している一の市町村の区域のみに設置される移送取扱所は、その区域を管轄する市町村長である。

⑷　消防本部及び消防署を設置していない市町村の区域または二以上の市町村の区域にまたがって設置される移送取扱所は、その区域を管轄する都道府県知事である。

⑸　二以上の都道府県の区域にまたがって設置される移送取扱所は、総務大臣である。

21 地下タンクを有する給油取扱所を設置し、使用するまでの順序として、正しいものを１つ選びなさい。

(1) ①許可申請②許可③着工④完成検査申請⑤完成⑥完成検査⑦使用開始⑧完成検査済証交付
(2) ①許可申請②許可③着工④完成⑤完成検査申請⑥完成検査⑦完成検査済証交付⑧使用開始
(3) ①許可申請②着工③許可④完成検査申請⑤完成⑥完成検査⑦完成検査済証交付⑧使用開始
(4) ①許可申請②許可③着工④完成検査前検査⑤完成⑥完成検査申請⑦完成検査⑧完成検査済証交付⑨使用開始
(5) ①許可申請②許可③着工④完成⑤使用開始

22 消防本部および消防署が置かれている市町村の区域に屋外貯蔵所を設置する場合の手続きとして、正しいものを１つ選びなさい。

(1) その区域を管轄する消防署長に届け出る。
(2) その区域を管轄する消防署長の許可を受ける。
(3) その区域を管轄する市町村長の許可を受ける。
(4) その区域を管轄する市町村長の承認を受ける。
(5) その区域を管轄する都道府県知事の許可を受ける。

23 危険物施設の設置から使用開始までの手続きとして、誤っているものはどれか。１つ選びなさい。

(1) 製造所等を設置する場合は、許可を受けなければならない。
(2) 製造所等を設置した場合は、完成検査を受けなければならない。
(3) 製造所等を設置する場合は、完成検査を受ける前の仮使用承認申請はできない。
(4) 第４類危険物の屋内貯蔵所を設置する場合は、完成検査前検査を受けなければならない。
(5) 第４類危険物の屋外タンク貯蔵所を設置する場合は、完成検査前検査を受けなければならない。

24 **製造所等を変更する場合、工事を着工できる時期として正しいものを1つ選びなさい。**

(1) 仮使用の承認を受ければ、いつでも着工できる。
(2) 許可を受けるまで着工できない。
(3) 変更許可を申請すれば、いつでも着工できる。
(4) 変更許可申請後10日経過すれば、いつでも着工できる。
(5) 変更工事が位置・構造・設備の基準に適合していれば、いつでも着工できる。

25 **完成検査ならびに完成検査前検査の説明として、正しいものを1つ選びなさい。（屋外タンク貯蔵所の岩盤タンク、および特殊液体危険物タンクの場合を除く）。**

(1) 完成検査前検査は、完成検査を受ける前に受けなければならない。
(2) 完成検査前検査は、製造所、貯蔵所または取扱所の設置または変更の許可申請後であって、許可を受ける前に行う現地検査である。
(3) 完成検査は、新たに製造所、貯蔵所または取扱所を設置する場合に限り受けるべき検査である。
(4) 完成検査前検査には、水張(水圧)検査、基礎・地盤検査の2種類がある。
(5) 最大貯蔵量が10,000kℓ以上の液体の危険物を貯蔵する屋外貯蔵タンクにあっては、水張（水圧）溶接部検査を受けるのみでよい。

26 **製造所等の変更工事に係る仮使用の承認について、正しいものを1つ選びなさい。**

(1) 完成検査前であっても、製造所等の全部を使用したいときは、市町村長等の承認を受ける。
(2) 完成検査前であっても、完成した部分から使用したいときは、市町村長等の承認を受ける。
(3) 完成検査前であっても、変更工事に係る部分以外の部分の全部を使用したいときは、市町村長等の承認を受ける。

(4) 完成検査で一部不合格であっても、合格した部分を使用したいときは、市町村長等の承認を受ける。

(5) 完成検査で不合格であっても、営業上やむなき正当な事由があって使用するときは、市町村長等の承認を受ける。

27 新たに設置した製造所等の使用開始時期として、正しいものを1つ選びなさい。

(1) 設置許可を受けた後完成した部分から使用開始。

(2) 設置工事全体が完成した後から使用開始。

(3) 完成検査を受けた後から使用開始。

(4) 完成検査済証の交付を受けた後から使用開始。

(5) 使用許可証の交付を受けた後から使用開始。

28 貯蔵所の位置・構造および設置を変更しないで、当該貯蔵所において貯蔵する危険物の品名・数量または指定数量の倍数を変更するときの手続きとして、正しいものを1つ選びなさい。

(1) 変更しようとする日の7日以内に、その旨を所轄消防長または消防署長に届け出る。

(2) 変更した後に、その旨を所轄消防長または消防署長に届け出る。

(3) 変更した日から10日以内に、市町村長等の許可を受ける。

(4) 変更しようとする日の10日前までに、市町村長等の承認を受ける。

(5) 変更しようとする日の10日前までに、その旨を当該市町村長等に届け出る。

29 仮貯蔵・仮取扱いに関する説明として、正しいものはどれか。1つ選びなさい。

(1) 指定数量以上の危険物を20日以内の期間、仮に貯蔵し、または取扱う場合は、所轄消防長または消防署長の承認が必要である。

(2) 指定数量以上の危険物を10日以内の期間、仮に貯蔵し、または取扱う場合は、所轄消防長または消防署長の許可が必要である。

(3) 指定数量以上の危険物を10日以内の期間、仮に貯蔵し、または取扱う場合は、所轄消防長または消防署長の承認が必要である。

(4) 指定数量以上の危険物を10日以内の期間、仮に貯蔵し、または取扱う場合は、市町村長等の承認が必要である。

(5) 指定数量以上の危険物を10日以内の期間、仮に貯蔵し、または取扱う場合は、市町村長等の許可が必要である。

30

消防法上の申請と届出について、誤っている組み合わせはどれか。1つ選びなさい。

(1) 製造所等の用途の廃止………………承認申請

(2) 予防規程を定めたとき………………認可申請

(3) 位置・構造・設備の変更……………変更許可申請

(4) 危険物保安監督者の選任・解任……届　出

(5) 製造所等の譲渡または引渡し………届　出

31

製造所等の譲渡または引渡しを受けた場合の手続きとして、正しいものを1つ選びなさい。

(1) 遅滞なくその旨を市町村長等に届け出る。

(2) 新たに市町村長等の許可を受ける。

(3) 10日以内に市町村長等の承認を受ける。

(4) 10日以内に所轄消防長または消防署長に届け出る。

(5) 遅滞なく当該区域を管轄する都道府県知事に届け出る。

32

危険物取扱者について、正しいものを1つ選びなさい。

(1) 免状の交付を受けても、製造所等の所有者から選任されなければ、危険物取扱者ではない。

(2) 丙種危険物取扱者が取り扱うことのできる危険物は、ガソリン・灯油・軽油・重油およびアルコール類のみである。

(3) 丙種危険物取扱者は、免状に指定されている危険物を自ら取り扱うことはできるが、危険物取扱者以外の者が危険物を取り扱う場合の立会いはできない。

(4) 乙種第4類危険物取扱者は、特殊引火物を取り扱うことはできない。

(5) 危険物施設保安員を置いている製造所等では、危険物取扱者を置く必要はない。

33 **危険物取扱者免状について、正しいものを1つ選びなさい。**

(1) 免状に添付した写真は、撮影から15年を経過したときは、免状の書換えを申請しなければならない。

(2) 免状を亡失した場合には、10日以内にその免状を交付した都道府県知事に届け出なければならない。

(3) 免状を汚損・破損したときには、居住地を管轄する市町村長に再交付の申請をすることができる。

(4) 免状を亡失して、再交付を受けた者が亡失した免状を発見した場合には、これを再交付を受けた都道府県知事に提出しなければならない。

(5) 消防法に違反して、免状の返納を命じられて返納しても、60日を経過すれば改めて免状の交付を受けることができる。

34 **危険物取扱者免状について、誤っているものはどれか。1つ選びなさい。**

(1) 免状の交付は、危険物取扱者試験に合格した者に対し、都道府県知事が行う。

(2) 乙種（第4類）の免状の交付を受けている者が、貯蔵し、または取り扱うことのできる危険物の種類は、第4類の危険物のみである。

(3) 免状の記載事項変更の書き換え申請は、居住地または勤務地を管轄する都道府県知事、もしくは免状の交付を受けた都道府県知事に対して行う。

(4) 免状を汚損した場合の再交付申請は、その免状の交付または書き換えをした都道府県知事に対して行う。

⑸　危険物取扱者は、危険物取扱作業に従事するときは常に免状を携帯しなければならない。

35　**危険物取扱者と、取り扱うことができる主な危険物との組み合わせとして、誤っているものはどれか。1つ選びなさい。**

⑴　甲種危険物取扱者……塩素酸塩類・硫化リン・カリウム・ニトロ化合物・特殊引火物・硝酸

⑵　乙種第2類危険物取扱者……赤リン・硫黄・鉄粉

⑶　乙種第3類危険物取扱者……カリウム・ナトリウム・黄リン

⑷　乙種第4類危険物取扱者……特殊引火物・第1石油類・動植物油類

⑸　丙種危険物取扱者……ガソリン・灯油・アルコール類

36　**危険物の取扱作業の保安講習について、正しいものを1つ選びなさい。**

⑴　免状の書換え時に受講する。

⑵　法令違反をした場合に受講する。

⑶　危険物保安監督者のみ受講する。

⑷　危険物施設保安員はすべて受講する。

⑸　製造所等において、危険物の取扱いに従事していなければ受講しなくともよい。

37　**危険物取扱者が免状返納命令の対象となるのは、次のうちどれか。1つ選びなさい。**

⑴　免状の交付を受けてから3年以上継続して、危険物の取扱作業に従事しなかったとき。

⑵　免状を汚損または破損したとき。

⑶　身体的に、危険物の取扱作業をすることが不可能になったとき。

⑷　理由なく、危険物保安統括管理者への任命を拒否したとき。

⑸　危険物を取り扱う際に、政令で定める技術上の基準に違反したとき。

38 **危険物の取扱作業の保安講習について、正しいものを1つ選びなさい。**

(1) 免状の交付を受けた都道府県が行う講習でなければ、受講することができない。

(2) 製造所等においてすでに危険物の取扱作業に従事している危険物取扱者は、講習を受けなくても免状返納命令の対象とはならない。

(3) 甲種および乙種危険物取扱者は3年に1回、丙種危険物取扱者は5年に1回講習を受けなければならない。

(4) 消防関係法令に違反した危険物取扱者は、1年以内に講習を受けなければならない。

(5) 製造所等においてすでに危険物の取扱作業に従事している危険物取扱者は、一定期間ごとに講習を受けなければならない。

39 **危険物保安統括管理者、危険物保安監督者および危険物施設保安員について、誤っているものを1つ選びなさい。**

(1) 危険物施設保安員は、危険物保安監督者の指示に従って、製造所等の点検業務、およびその構造・設備に関する保安のための業務を行う。

(2) 危険物保安監督者は、製造所等の所有者、管理者または占有者が選任する。

(3) 危険物保安統括管理者は、当該事業所においてその事業の実施を統括管理する者をもって充てなければならない。

(4) 危険物保安統括管理者および危険物施設保安員は、甲種または乙種の危険物取扱者免状を有する者でなければならない。

(5) 危険物保安監督者は、甲種もしくは乙種危険物取扱者（取得した類のみ）として、製造所等で危険物の取扱いに関する実務に6か月以上従事した者でなければならない。

40 **危険物保安監督者に関する説明として、正しいものはいくつあるか選びなさい。**

① 危険物保安監督者は、すべての危険物施設で選任しなければならな

い。

② 危険物保安監督者を選任する権限を有しているのは、製造所等の所有者・管理者または占有者である。

③ 危険物保安監督者は、甲種または乙種危険物取扱者で、かつ全類の危険物について1年以上の実務経験が必要である。

④ 丙種危険物取扱者は、危険物保安監督者に選任される資格がある。

⑤ 危険物保安監督者は、事業所全体としての保安業務を統括的に管理し、安全を確保する。

(1) 1つ　(2) 2つ　(3) 3つ

(4) 4つ　(5) 5つ

41 **危険物保安監督者を選任しなくてもよい製造所等を1つ選びなさい。**

(1) 製造所

(2) 屋外タンク貯蔵所

(3) 移動タンク貯蔵所

(4) 給油取扱所

(5) 移送取扱所

42 **危険物保安監督者を選任しなくてもよい製造所等を1つ選びなさい。**

(1) 第1類危険物を製造する製造所。

(2) 引火点が40℃未満の第4類危険物を、指定数量の30倍を超えて貯蔵し、または取り扱う屋内貯蔵所。

(3) 引火点が40℃以上のみの第4類危険物を、指定数量の30倍を超えて貯蔵し、または取り扱う屋内タンク貯蔵所。

(4) 引火点が40℃未満の第4類危険物を、指定数量の30倍を超えて貯蔵し、または取り扱う屋外貯蔵所。

(5) 引火点が40℃未満の第4類危険物を取り扱う一般取扱所。

43 **危険物保安監督者の業務について、誤っているものはどれか。1つ選びなさい。**

(1) 危険物の取扱作業について、作業者に対し必要な指示を与える。
(2) 施設の異常を発見した場合の連絡及び適当な措置をする。
(3) 災害発生時に応急の措置を講じ、直ちに消防機関等に連絡する。
(4) 災害の防止に関して、隣接する製造所等の関係者との連絡を保つ。
(5) 予防規程を作成し、市町村長等の認可を受ける。

44 **予防規程に定めなければならない事項について、誤っているものを1つ選びなさい。**

(1) 製造所等の設置に係る申請手続きに関すること。
(2) 危険物の保安に係る作業従事者の保安教育に関すること。
(3) 危険物の保安のための巡視、点検及び検査に関すること。
(4) 災害その他、非常の場合にとるべき措置に関すること。
(5) 危険物保安監督者が、その職務を行うことができない場合の職務代行者に関すること。

45 **予防規程に関する説明として、誤っているものはどれか。1つ選びなさい。**

(1) 予防規程は、個々の製造所等の実情に合わせ自主的に制定する保安基準である。
(2) 予防規程を定めたとき、変更するときは、市町村長等の認可を受けなければならない。
(3) 給油取扱所・移送取扱所では、指定数量に関わらず予防規程を定めなければならない。
(4) 予防規程は、製造所等の危険物保安監督者が定めなければならない。
(5) 製造所等の従業員は、予防規程を遵守しなければならない。

46 **予防規程を定めなくてもよいとされている製造所等を1つ選びなさい。**

⑴　指定数量の倍数が10以上の製造所
⑵　指定数量の倍数が150以上の屋内貯蔵所
⑶　指定数量の倍数が200以上の屋外タンク貯蔵所
⑷　指定数量の倍数が100以上の屋外貯蔵所
⑸　指定数量の倍数が10以上の販売所

47　**予防規程について、正しいものを１つ選びなさい。**

⑴　予防規程を定めたときは、市町村長等に届け出なければならない。
⑵　予防規程を定めたときは、市町村長等の承認を受けなければならない。
⑶　予防規程を定めたときは、市町村長等の許可を受けなければならない。
⑷　予防規程を変更したときは、市町村長等の認可を受けなければならない。
⑸　予防規程を変更したときは、市町村長等に届け出なければならない。

48　**製造所等の定期点検について、誤っているものはどれか。１つ選びなさい。**

⑴　定期点検は、原則として１年に１回以上実施しなければならない。
⑵　定期点検結果について、消防機関から資料の提出を求められることはない。
⑶　定期点検記録は、原則として保存年限は３年間である。
⑷　危険物施設保安員は、定期点検を行うことができる。
⑸　危険物取扱者の立ち会いを受けた場合は、危険物取扱者以外の者でも、定期点検を行うことができる。

49　**次の製造所等のうち、指定数量の倍数に拘らず定期点検を実施しなければならないものはどれか。正しいものを１つ選びなさい。**

⑴　一般取扱所
⑵　屋内貯蔵所

⑶　屋外貯蔵所
⑷　屋外タンク貯蔵所
⑸　地下タンク貯蔵所

50

定期点検の点検記録に記載しなければならない事項として、誤っているものはどれか。１つ選びなさい。

⑴　点検を行った製造所等の名称
⑵　市町村長に点検結果を報告した年月日
⑶　点検の方法および結果
⑷　点検年月日
⑸　点検を行った危険物取扱者もしくは危険物施設保安員または点検に立ち会った危険物取扱者の氏名

51

次のうち、定期点検を義務付けられていない製造所等はいくつあるか。１つ選びなさい。

屋内タンク貯蔵所、移動タンク貯蔵所、簡易タンク貯蔵所、地下タンクを有する製造所、地下タンクを有する給油取扱所、第１種販売取扱所

⑴　１つ　⑵　２つ　⑶　３つ
⑷　４つ　⑸　５つ

52

製造所等における定期点検について、誤っているものはどれか。１つ選びなさい。

⑴　製造所等の所有者・管理者または占有者は、定期点検記録を作成し、これを３年間保存しなければならない。
⑵　定期点検は、消防法の技術上の基準に適合しているかどうかについて行わなければならない。
⑶　丙種危険物取扱者は、定期点検を行うことができる。
⑷　危険物施設保安員は、定期点検を行うことができる。
⑸　危険物取扱者以外の者でも危険物施設保安員の立ち会いを受けたときは定期点検を行うことができる。

53

製造所等における保安検査について、誤っているものはどれか。1つ選びなさい。

⑴ 保安検査は、屋外タンク貯蔵所・移送取扱所のうち一定基準以上の規模の施設が対象となる。

⑵ 保安検査には、定期保安検査と臨時保安検査がある。

⑶ 保安検査を実施する時期は、検査の対象となる施設の種類により異なるが、移送取扱所の場合は原則として1年に1回である。

⑷ 屋外タンク貯蔵所の定期保安検査事項は、タンク底部の板厚及び溶接部、岩盤タンクの構造及び設備である。

⑸ 保安検査を実施するのは、その対象となる施設の所有者・管理者または占有者である。

54

製造所等の中には、特定の建築物等との間に保安距離を保たなければならないものがある。その建築物等と保安距離との組み合わせとして、誤っているものを1つ選びなさい。

⑴ 住　宅……………10m以上

⑵ 映画館……………30m以上

⑶ 高圧ガス施設……20m以上

⑷ 小学校……………40m以上

⑸ 重要文化財………50m以上

55

次の製造所のうち、保安距離を必要としないものはどれか。正しいものを1つ選びなさい。

⑴ 製造所

⑵ 屋内貯蔵所

⑶ 屋外貯蔵所

⑷ 移送取扱所

⑸ 一般取扱所

56 保有空地に関する説明として、誤っているものはどれか。1つ選びなさい。

(1) 保有空地には、物品等を置いてはならない。
(2) 保有空地の幅は、貯蔵または取扱う危険物の指定数量の倍数によって定められている。
(3) 保有空地は、消防活動・延焼防止のために製造所の周囲に設けられる。
(4) 学校・病院等から一定の保安距離を設ける必要のある施設には、保有空地を設ける必要はない。
(5) 屋内貯蔵所には、保有空地が必要である。

57 製造所等のうち、保有空地の確保を必要としないものを1つ選びなさい。

(1) 製造所
(2) 屋内貯蔵所
(3) 屋外貯蔵所
(4) 給油取扱所
(5) 一般取扱所

58 製造所の基準について、誤っているものはどれか。1つ選びなさい。

(1) 地階を設けない。
(2) 床面積は、原則として10,000m²以下とする。
(3) 同一敷地外にある住居から10m以上の保安距離を保つ。
(4) 指定数量の倍数が10以下の製造所には、3m以上の幅の保有空地を確保する。
(5) 指定数量の倍数が10以上の製造所には、避雷設備を設ける。

59 製造所の基準について、誤っているものはどれか。1つ選びなさい。

(1) 建築物には、採光・照明・換気の設備を設ける。

(2) 建築物の壁・柱・床・はり、および階段は不燃材料とする。

(3) 液状の危険物を取り扱う建築物の床は、危険物が浸透しない構造とし、適当な傾斜をつけ、かつ貯留設備を設ける。

(4) 可燃性蒸気等が滞留するおそれのある場合には、屋外の高所に排出する設備を設ける。

(5) 建築物の窓および出入り口には、ガラスを用いない。

60 **指定数量の倍数が15の灯油を貯蔵する屋内貯蔵所の基準として、誤っているものを1つ選びなさい。**

(1) 学校との保安距離は、30m以上とした。

(2) 貯蔵倉庫は、独立した専用の建築物とした。

(3) 貯蔵倉庫は、軒高を6m未満の平屋建とした。

(4) 床面積は、1,000㎡以下とした。

(5) 不燃材料で天井を設け、屋根は軽量の不燃材料で造った。

61 **指定数量の倍数が30のガソリンを貯蔵する屋内貯蔵所の基準として、正しいものを1つ選びなさい。**

(1) 保有空地は、2m以上とした。

(2) 壁・柱及び床を耐火構造とし、はりは軽量の木材とした。

(3) 床は地盤面以下とし、傾斜を設け、貯留設備を設置した。

(4) 出入り口のドアのガラスは、網入りガラスとした。

(5) 滞留した可燃性蒸気を排出するため、低所に排出口を設けた。

62 **屋外タンク貯蔵所に関する説明として、誤っているものはどれか。1つ選びなさい。**

(1) 液体の危険物(二硫化炭素を除く)の屋外貯蔵タンクの周囲には、防油堤を設けなければならない。

(2) 防油堤の容量は、タンク容量の110%以上とし、2以上のタンクがある場合には最小タンクの110%以上でなければならない。

(3) 防油堤の水抜口は通常は閉鎖しておき、滞油・滞水が生じた場合は遅滞なく排出する。

(4) 指定数量500以下の危険物を貯蔵する場合には、3m以上の保有空地を保有しなければならない。

(5) 高さが1mを超える防油堤等には、おおむね30mごとに堤内に出入りする階段を設置する。

63

屋外タンク貯蔵所の保安距離について、a～fに関する説明が正しいものを1つ選びなさい。

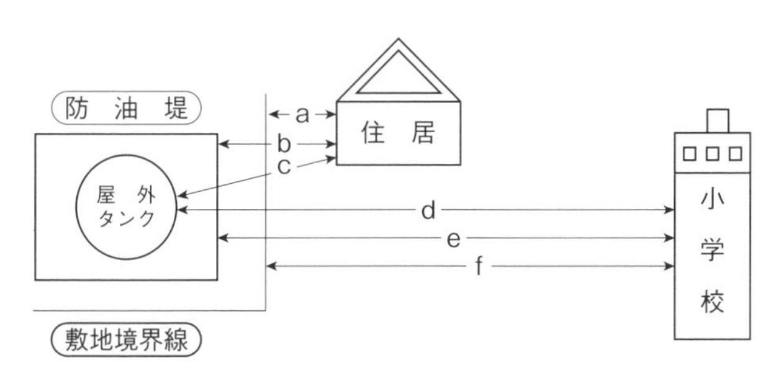

(1) aは10m以上、fは30m以上確保する。

(2) aは10m以上、dは50m以上確保する。

(3) cは10m以上、dは30m以上確保する。

(4) bは30m以上、eは50m以上確保する。

(5) cは30m以上、fは50m以上確保する。

64

屋外タンク貯蔵所（特定屋外貯蔵タンクと準特定屋外貯蔵タンク、固体の危険物の屋外貯蔵タンクを除く）の基準で、当該タンクの周囲に防油堤を設けなければならないものとして、正しいものを1つ選びなさい。

(1) 液体危険物を貯蔵するタンクは、すべて防油堤を設けなければならない。

(2) 液体の危険物（二硫化炭素を除く）を貯蔵するタンクは、すべて防油堤を設けなければならない。

(3) 液体の危険物で、指定数量の倍数が4,000を超えるタンクに限り、防油堤を設けなければならない。

(4) 水溶性の危険物を貯蔵するタンクに限り、防油堤を設けなければならない。

(5) 引火点が0℃以下の液体危険物を貯蔵するタンクに限り、防油堤を設けなければならない。

65

指定数量の倍数が600のガソリンを貯蔵する屋外タンク貯蔵所について、誤っているものはどれか。1つ選びなさい。

(1) 保安距離および敷地内距離を確保する。

(2) 保有空地の幅は、15m以上とする。

(3) ポンプ設備は、原則として周囲に3m以上の空地を確保する。

(4) タンクには、危険物の量を自動的に表示する装置を設ける。

(5) 圧力タンク以外のタンクには、無弁通気管または大気弁付通気管を設ける。

66

屋内タンク貯蔵所に関する説明として、誤っているものはどれか。1つ選びなさい。

(1) 保安距離・保有空地は不要である。

(2) 液状の危険物を貯蔵するタンク専用室の床は、危険物が浸透しない構造とし、傾斜をつけ、貯留設備を設けなければならない。

(3) タンク専用室は、壁・床を耐火構造にするとともに、はりを不燃材料で造らなければならない。

(4) タンク専用室は、屋根を不燃材料で造るとともに、不燃材料の天井を設けなければならない。

(5) 圧力タンクには安全装置を設け、その他のタンクには通気管を設けなければならない。

67

第4類危険物の第4石油類のみを貯蔵する屋内タンク貯蔵所について、誤っているものはどれか。1つ選びなさい。

(1) 屋内貯蔵タンクは、原則として平屋建てのタンク専用室に設置する。

(2) 屋内貯蔵タンクとタンク専用室の壁、及び同一のタンク専用室に二以上のタンクを設置する場合のタンク相互に0.5m以上の間隔を保つ。

(3) 屋内貯蔵タンクの容量は、指定数量の400倍以下とする。

(4) 屋内貯蔵タンクには、危険物の量を自動的に表示する装置を設ける。

(5) 圧力タンク以外のタンクには、無弁通気管を設ける。

68

次図に示す屋外タンク貯蔵所の屋外貯蔵タンクの周囲に設ける防油堤の最小容量として、正しいものを1つ選びなさい。

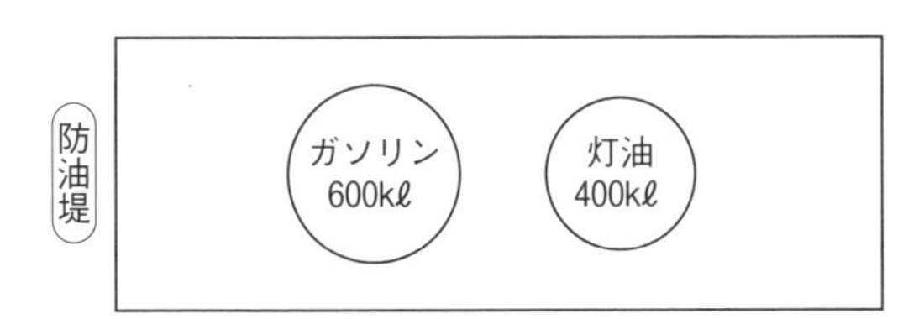

(1) 440kℓ (2) 500kℓ (3) 660kℓ

(4) 800kℓ (5) 1,100kℓ

69

平屋建てのタンク専用室に設置する屋内貯蔵タンクの最大容量として、誤っているものはどれか。1つ選びなさい。

(1) 第1石油類の非水溶性液体……8,000 ℓ

(2) アルコール類……………………16,000 ℓ

(3) 第2石油類の非水溶性液体……40,000 ℓ

(4) 第3石油類の水溶性液体………20,000 ℓ

(5) 動植物油類………………………400,000 ℓ

70

地下タンク貯蔵所に関する説明として、誤っているものはどれか。1つ選びなさい。

(1) 保安距離・保有空地は不要である。

(2) タンクの頂部には通気管を設けなければならない。

(3) タンクの周囲には、危険物の漏れを検知する設備を設けなければならない。

(4) タンクへの配管は、タンクの頂部に取り付けなければならない。

(5) 地下貯蔵タンクは、外面を塗装した上で必ず直接地盤面下に埋設しなければならない。

71 **地下タンク貯蔵所の基準で、地下貯蔵タンクの設置方法として誤っているものはどれか。1つ選びなさい。**

(1) 地下貯蔵タンクをコンクリート被覆して、地盤面下に埋設する方法。

(2) 強化プラスチック製二重殻タンクを、直接地盤面下に埋設する方法。

(3) 鋼製二重殻タンクを、直接地盤面下に埋設する方法。

(4) 鋼製二重殻タンクを、タンク室に設置する方法。

(5) 二重殻タンク以外の鋼製タンクを直接地盤面下に埋設する方法。

72 **地下貯蔵タンクのうち、圧力タンク以外のタンクに設ける無弁通気管について、誤っているものはどれか。1つ選びなさい。**

(1) 先端は、地上より4m以上の高さとする。

(2) 先端は、水平より下に45°以上曲げ、雨水の浸入を防ぐ構造とする。

(3) 直径は30mm以上とする。

(4) 通気管は、地下貯蔵タンクの底部に取り付ける。

(5) 原則として、細目の銅網等により、引火防止装置を設ける。

73 **下図は、地下貯蔵タンクの断面図である。図中のa～eの説明として誤っているものはどれか。1つ選びなさい。**

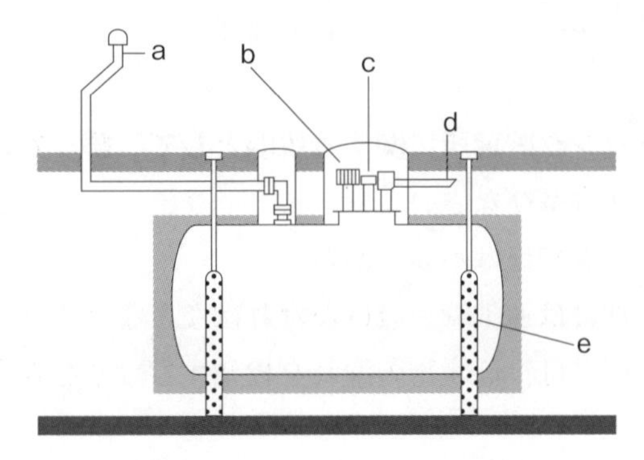

(1) a……通気管
(2) b……注入口
(3) c……液面計もしくは計量口
(4) d……送油管
(5) e……固定支柱

74 **地下タンク貯蔵所に設ける通気管について、正しいものを1つ選びなさい。**

(1) 溶接部分を含めた接合部分について、損傷の有無を点検できる措置を講ずる。
(2) 可燃性蒸気を回収するための弁を設ける場合は、当該弁は地下貯蔵タンクに危険物を注入する場合を除き、常時閉鎖しておく構造とする。
(3) 通気管は地下貯蔵タンクの頂部に取り付ける。
(4) 通気管の先端は、できるだけ地上に近い低所に出す。
(5) 通気管のうち地下埋設部分については、その上部の地盤面にかかる重量が直接当該部分にかかってもよいように保護する。

75 **簡易タンク貯蔵所について、誤っているものはどれか。1つ選びなさい。**

(1) 1つの簡易タンク貯蔵所には、簡易貯蔵タンクを3基まで設置できるが、同一品質の危険物は、2基以上設置できない。
(2) 簡易貯蔵タンクは、厚さ3.2㎜以上の鋼板で造り、その外側にさび止めの塗装をする。
(3) 簡易貯蔵タンクの1基の容量は、600ℓ以下とする。
(4) 簡易貯蔵タンクを専用室内に設ける場合には、タンクと専用室の壁との間に0.5m以上の間隔を保つ。
(5) 簡易貯蔵タンクを屋外に設ける場合には、その周囲に2m以上の空地を設ける。

76 移動タンク貯蔵所の技術上の基準として、誤っているものはどれか。１つ選びなさい。

(1) 貯蔵タンクの配管は、先端部に弁等を設ける。

(2) 貯蔵タンクの容量は40,000ℓ以下とし、4,000ℓ以下ごとに区切る間仕切り板を設ける。また、容量が2,000ℓ以上のタンク室には防波板を設ける。

(3) 貯蔵タンクには、危険物の類・品名および最大数量を表示する設備を見やすい箇所に設け、また標識を掲げる。

(4) ガソリン、ベンゼン等静電気による災害が発生するおそれのある液体危険物の移動貯蔵タンクには、接地導線を設ける。

(5) 貯蔵タンクには、安全装置と保護するための防護枠、側面枠を設ける。

77 移動タンク貯蔵所の技術上の基準について、a～cに適合する組み合わせとして、正しいものを１つ選びなさい。

移動貯蔵タンクの容量は（　a　）以下とし、かつその内部に（　b　）以下ごとに区切る間仕切りを厚さ（　c　）以上の鋼板またはこれと同等以上の機械的性質を有する材料で気密に造る。

	a	b	c
(1)	20,000ℓ	2,000ℓ	2.3㎜
(2)	20,000ℓ	2,000ℓ	3.2㎜
(3)	30,000ℓ	4,000ℓ	3.2㎜
(4)	30,000ℓ	4,000ℓ	2.3㎜
(5)	40,000ℓ	4,000ℓ	3.2㎜

78 屋外貯蔵所の基準について、誤っているものはどれか。１つ選びなさい。

(1) 屋外貯蔵所は、湿潤でなく、かつ排水のよい場所に設置する。

(2) 危険物を貯蔵しまたは取り扱う場所の周囲には、さく等を設けて明確に区画する。

(3) 架台を設ける場合は、不燃材料で造り、堅固な地盤面に固定する。

(4)　架台を設ける場合は、高さを６ｍ未満にする。
(5)　屋外貯蔵所の保有空地は、指定数量の倍数が10以下の場合、２ｍ以上とする。

79　**屋外貯蔵所で貯蔵できる危険物として、誤っているものはどれか。１つ選びなさい。**

(1)　硫黄　(2)　重油　(3)　軽油　(4)　動植物油　(5)　アセトン

80　**屋外貯蔵所で貯蔵することができる危険物の組み合わせとして、正しいものを１つ選びなさい。**

(1)　硫黄、エチルアルコール、灯油、アセトン
(2)　硫黄、灯油、軽油、なたね油
(3)　ガソリン、ベンゼン、灯油、重油
(4)　二硫化炭素、ガソリン、軽油、ギヤー油
(5)　硫化リン、軽油、クレオソート油、パーム油

81　**給油取扱所について、誤っているものはどれか。１つ選びなさい。**

(1)　給油取扱所には、保安距離、保有空地の規制はない。
(2)　給油取扱所には、地下専用タンクを設けることができる。
(3)　給油取扱所の事務所等で火気を使用する場合は、漏れた可燃性蒸気が内部に流入しない構造とする。
(4)　固定給油設備のホース機器の周囲には、自動車等が出入りするための、間口10ｍ以上、奥行６ｍ以上の注油空地を保有する必要がある。
(5)　給油取扱所の周囲には、自動車の出入りする側を除き、高さ２ｍ以上の耐火構造の、または不燃材料のへいまたは壁を設ける必要がある。

82　**給油取扱所に設けることのできる建築物として、誤っているものはどれか。１つ選びなさい。**

(1)　給油取扱所の所有者等が居住するための住居

⑵　自動車を洗浄する作業場
⑶　コンビニエンスストア等の店舗
⑷　給油・詰め替えを行うための作業場
⑸　給油取扱所に出入りする者を対象とした立体駐車場

83 **給油取扱所における危険物の取扱い上の基準に当てはまらないものはどれか。１つ選びなさい。**

⑴　固定給油設備を使用して直接給油し、エンジンを停止させる。
⑵　固定給油設備又は固定注油設備には、接続する専用タンク又は簡易タンクの配管以外から危険物を注入しない。
⑶　危険物を注入中の専用タンクに接続している固定給油設備から給油する場合は、給油速度を遅くする。
⑷　自動車等の洗浄を行う場合は、引火点を有する液体の洗剤を使用しない。
⑸　自動車等の一部又は全部が給油空地からはみ出たままで給油しない。

84 **顧客に自ら自動車等に給油等を行わせる給油取扱所における取扱いの基準として、誤っているものはどれか。１つ選びなさい。**

⑴　顧客用固定給油設備以外で顧客に給油をさせてはならない。
⑵　顧客用固定給油設備においては、顧客に自らガソリンを容器へ詰め替えさせることができる。
⑶　制御卓では、顧客の給油作業等を直視等によって監視する。
⑷　放送機器等によって顧客に必要な指示等を行えるようにする。
⑸　顧客の給油作業等が終了したときは、給油を行えない状態にする。

85 **給油取扱所における固定給油設備の基準として、誤っているものはどれか。１つ選びなさい。**

⑴　固定給油設備は、敷地境界線から２ｍ以上の間隔を保つ。
⑵　建築物の壁に開口部がない場合、固定給油設備は当該壁から１ｍ以上の間隔を保つ。

(3) 懸垂式の固定給油設備は、道路境界線から4m以上の間隔を保つ。
(4) 固定注油設備の固定給油設備からの距離は、設備の区分と最大給油ホース全長に応じ、2m～4m以上の間隔を保つ。
(5) 懸垂式以外の固定給油設備は、最大給油ホース全長に応じ、道路境界線から4m～6m以上の間隔を保つ。

86

販売取扱所について、誤っているものはどれか。1つ選びなさい。

(1) 販売取扱所とは、店舗において容器入りのままで販売するために危険物を取り扱う施設をいう。
(2) 販売取扱所は、建築物の1階に設ける。
(3) 店舗部分に上階がある場合は、上階の床を耐火構造とする。
(4) 保安距離および保有空地の規制はない。
(5) 販売取扱所で取り扱うことができる危険物は、第1種販売取扱所では指定数量の倍数が15を超え40以下、第2種販売取扱所では15以下のものである。

87

第1種販売取扱所の基準について、誤っているものはどれか。1つ選びなさい。

(1) 店舗部分のはりは不燃材料で造る。
(2) 天井を設ける場合は、天井は不燃材料で造る。
(3) 危険物の配合室には、床面積の制限はない。
(4) 店舗部分とその他の部分との隔壁は、耐火構造とする。
(5) 窓および出入口にガラスを用いる場合は、網入りガラスとする。

88

第2種販売取扱所の基準について、誤っているものはどれか。1つ選びなさい。

(1) 店舗部分のはりは不燃材料で造る。
(2) 天井を設ける場合は、天井を不燃材料で造る。
(3) 上階のない場合は、屋根を耐火構造とする。

⑷　窓は、延焼のおそれのない部分に限り設けることができる。

⑸　危険物を配合する室の床面積は、6㎡以上10㎡以下とする。

89　**第4類危険物を取り扱う一般取扱所の基準について、誤っているものはどれか。1つ選びなさい。**

⑴　重要文化財から20m以上の保安距離を確保する。

⑵　地階を設けず、屋根は軽量な不燃材料でふく。

⑶　壁・柱・床・はり・および階段は不燃材料で造り、延焼のおそれがある外壁は出入り口以外の開口部を有しない耐火構造とする。

⑷　静電気の発生するおそれのある設備には、接地等有効に静電気を除去する装置を設ける。

⑸　電気設備は、可燃性ガス等が滞流するおそれのある場所に設置する場合、防爆構造とする。

90　**危政令第19条第2項では、取り扱う危険物の数量等により一般取扱所の基準の特例を定めている。この特例に該当しない一般取扱所はどれか。正しいものを1つ選びなさい。**

⑴　吹付塗装作業等の一般取扱所

⑵　充てんの一般取扱所

⑶　詰替えの一般取扱所

⑷　指定数量以下を扱う一般取扱所

⑸　油圧装置等を設置する一般取扱所

91　**標識について、誤っているものはどれか。1つ選びなさい。**

⑴　移動タンク貯蔵所以外の製造所等に設ける標識には、製造所等の名称を記載する。

⑵　移動タンク貯蔵所以外の製造所等に設ける標識は、幅0.3m以上、長さ0.6m以上の板とする。

⑶　移動タンク貯蔵所以外の製造所等に設ける標識の色は、地を白色、文

字を黒色とする。

(4) 移動タンク貯蔵所に掲げる標識は、地が黒色の板に黄色の反射塗料等で「危」と表示する。

(5) 移動タンク貯蔵所に掲げる標識の大きさは、0.2m平方とする。

92 **製造所等の掲示板に表示する事項として、誤っているものはどれか。1つ選びなさい。**

(1) 危険物の類別

(2) 危険物の品名

(3) 貯蔵または取扱い最大数量、指定数量の倍数

(4) 危険物保安監督者の氏名または職名

(5) 所有者・管理者または占有者の氏名

93 **危険物の性状に応じて注意事項を表示した掲示板として、誤っている組み合わせはどれか。1つ選びなさい。**

(1) 第2類（引火性固体を除く）……火気注意

(2) 第3類の禁水性物品………………禁水

(3) 第3類の自然発火性物品…………火気注意

(4) 第4類………………………………火気厳禁

(5) 第5類………………………………火気厳禁

94 **消火設備の区分として、誤っているものはどれか。1つ選びなさい。**

(1) 屋内消火栓設備または屋外消火栓設備……第1種消火設備

(2) スプリンクラー設備……第2種消火設備

(3) ハロゲン化物を放射する小型消火器……第3種消火設備

(4) 泡を放射する大型消火器……第4種消火設備

(5) 水バケツ、水槽……第5種消火設備

95 第3種消火設備に該当しないものはどれか。1つ選びなさい。

(1) 水蒸気消火設備　(2) 屋外消火栓設備
(3) 泡消火設備　(4) ハロゲン化物消火設備
(5) 水噴霧消火設備

96 第4種消火設備に該当するものはどれか。正しいものを1つ選びなさい。

(1) 膨脹ひる石
(2) 泡を放射する小型消火器
(3) 棒状の水を放射する大型消火器
(4) ハロゲン化物消火設備
(5) 霧状の強化液を放射する小型消火器

97 第5種消火設備に該当しないものはどれか。

(1) 棒状の水を放射する小型消火器
(2) 霧状の水を放射する大型消火器
(3) 霧状の強化液を放射する小型消火器
(4) 水バケツまたは水槽
(5) 乾燥砂および膨張真珠岩

98 次の消火設備のうち、第4類危険物の火災に適応しないものはどれか。1つ選びなさい。

(1) 屋内消火栓
(2) 泡消火設備
(3) 二酸化炭素消火設備
(4) ハロゲン化物を放射する消火器
(5) 水蒸気消火設備

99 次の消火設備のうち、電気火災に適応しないものはどれか。1つ選びなさい。

(1) 二酸化炭素消火設備
(2) 霧状の強化液を放射する消火器
(3) 泡を放射する消火器
(4) 水噴霧消火設備
(5) ハロゲン化物を放射する消火器

100 消火設備における1所要単位の計算方法として、誤っているものはどれか。1つ選びなさい。

	(製造所等の別)	(外壁構造)	(1所要単位当たりの数値)
(1)	製造所	耐火構造	延面積100m²
(2)	製造所	不燃材料	延面積 50m²
(3)	貯蔵所	耐火構造	延面積150m²
(4)	貯蔵所	不燃材料	延面積 75m²
(5)	危険物	——	指定数量の20倍

101 警報設備について、誤っているものはどれか。1つ選びなさい。

(1) 指定数量の倍数が10以上で、自動火災報知器を有しない屋外貯蔵所は、他の警報設備を1種類以上設置する。
(2) 消防機関に報知できる電話は、警報設備である。
(3) 非常ベル装置、拡声装置、警鐘は、警報設備に該当する。
(4) 指定数量の倍数が10以上の危険物を貯蔵しまたは取り扱う製造所等(移動タンク貯蔵所を除く)は、火災報知設備その他の警報設備の設置が義務づけられている。
(5) 屋内給油取扱所以外の給油取扱所には、自動火災報知設備の設置が義務づけられている。

102 避難設備（誘導灯）の設置が義務づけられている製造所等に該当するものはどれか。正しいものを１つ選びなさい。

⑴　屋内貯蔵所　　⑵　屋内タンク貯蔵所
⑶　特定の給油取扱所　　⑷　販売取扱所
⑸　一般取扱所

103 製造所等において危険物の貯蔵または取扱う場合に、数量のいかんを問わず共通する技術上の基準として、誤っているものはどれか。１つ選びなさい。

⑴　製造所等には、係員以外の者をみだりに出入りさせない。
⑵　製造所等では、許可または届出による品名以外の危険物を貯蔵することはできないが、指定数量の倍数変更は自由である。
⑶　危険物のくず、かす等は、１日１回以上、危険物の性質に応じて安全な場所及び方法で処理する。
⑷　製造所では、みだりに火気を使用しない。
⑸　危険物を貯蔵しまたは取り扱う建築物等においては、当該危険物の性質に応じた有効な遮光または換気を行う。

104 製造所等において危険物の貯蔵または取扱う場合に、数量のいかんを問わず共通する技術上の基準として、正しいものを１つ選びなさい。

⑴　危険物のくず、かす等は、10日に１回以上、危険物の性質に応じ安全な場所および方法で回収もしくは廃棄する。
⑵　貯留設備、または油分離装置にたまった危険物は、あふれないように１日に１回以上くみ上げる。
⑶　製造所等においては、いかなる理由があっても火気の使用は厳禁である。
⑷　危険物を保護液中に保存する場合は、１日に１度は定期的に保護液から露出させる。
⑸　常に整理および清掃を行い、みだりに空箱等その他不必要な物件を置

かない。

105 **危険物の貯蔵に関する技術上の基準について、誤っているものはどれか。１つ選びなさい。**

(1) 類を異にする危険物を同一の場所に貯蔵する場合は、それぞれを３ｍ以上離して貯蔵する。

(2) 屋外貯蔵タンクの周囲に防油堤がある場合は、水抜口を通常は閉鎖しておく。また当該防油堤の内部に滞油しまたは滞水した場合は、遅滞なくこれを排出する。

(3) 屋内貯蔵所においては、容器に収納して貯蔵する危険物の温度が、55℃を超えないようにする。

(4) 屋外貯蔵タンク、屋内貯蔵タンク、地下貯蔵タンクの元弁および注入口の弁またはふたは、使用時以外は完全に閉鎖しておく。

(5) 移動貯蔵タンクには、貯蔵しまたは取り扱う危険物の類・品名および最大数量を表示する。

106 **危険物を廃棄するときの取扱いの基準について、正しいものを１つ選びなさい。**

(1) 見張人をつけたときは、河川に流してもよい。

(2) 海中であれば、見張人をつけなくともそのまま流してもよい。

(3) 見張人をつけたときは、いずれの場所で焼却、埋没してもよい。

(4) 安全な場所で、危害等をおよぼすおそれのない方法で、見張人をつければ焼却してもよい。

(5) 安全な場所であれば、見張人をつけなくても焼却することができる。

107 **製造所等で危険物の流出その他の事故が発生したとき、当該製造所等の所有者・管理者または占有者が直ちに講じなければならないと定められている事項はいくつあるか。１つ選びなさい。**

A　危険物が引き続き流出するのを防ぐ。

B　流出した危険物の拡散を防止する。

C　流出した危険物を除去する。

D　事故現場付近にいる一般人を消防作業に従事させる。

E　災害発生の防止のための応急措置を講じる。

(1)　1つ　(2)　2つ　(3)　3つ

(4)　4つ　(5)　5つ

108 **給油取扱所における危険物の取扱いの基準として、誤っているものはどれか。1つ選びなさい。**

(1)　給油するときは固定給油設備を使用し、直接給油する。

(2)　給油するときは自動車等のエンジンを停止して行う。

(3)　自動車等が給油空地からはみ出した状態で給油してはならない。

(4)　物品の販売等の業務は、原則として建築物の2階以上で行う。

(5)　自動車等の洗浄を行う際には、引火点を有する液体洗剤を使用しない。

109 **移動タンク貯蔵所における危険物の取扱いの基準として、誤っているものはどれか。1つ選びなさい。**

(1)　危険物を注入する際は、原則として注入ホースを注入口に緊結する。

(2)　詰め替えできる危険物は、引火点40℃以上の危険物に限られる。

(3)　引火点40℃未満の危険物を注入する場合は、移動タンク貯蔵所のエンジンを作動したままでよい。

(4)　静電気による災害が発生する危険がある場合は、注入管の先端を底部に着けるとともに、タンクを接地する。

(5)　危険物の注入は、安全な注油速度で行わなければならない。

110 **危険物を車両で運搬する場合について、誤っているものはどれか。1つ選びなさい。**

(1)　危険物の運搬を行うとき、危険物取扱者の免状は携帯しなくてもよい。

(2)　運搬容器は収納口を上方に向けて積載しなければならない。

(3)　ガラスは運搬容器の材質として認められていない。

(4)　運搬容器の外部に容器の材質を記入する必要はない。

(5) 危険物運搬の技術上の基準は、指定数量未満の危険物にも適用される。

111 **危険物を車両で運搬する場合について、誤っているものはどれか。1つ選びなさい。**

(1) 危険物を積載する際の積み重ね高さは、3m以下でなければならない。
(2) 液体の危険物は、内容積の98%以下の収納率とし、かつ55℃の温度において漏れないように空間容積を確保する。
(3) 指定数量以上の危険物を車両で運搬する場合でも、所轄消防署長に届け出る必要はない。
(4) 類の異なる危険物を同一車両に混載することは、すべて禁止されている。
(5) 高圧ガスとの混載は原則として禁止されているが、内容積120ℓ未満の容器の場合は混載することができる。

112 **危険物を車両で運搬する場合の基準について、誤っているものはどれか。1つ選びなさい。**

(1) 指定数量以上の危険物を運搬する場合は、その危険物に適応する消火器を備えなければならない。
(2) 運搬容器の外部には、危険物の品名・数量、危険等級および化学名等を表示して積載しなければならない。
(3) 指定数量以上の危険物を運搬する場合は、危険物取扱者が同乗しなければならない。
(4) 第1類、第4類の危険物の特殊引火物、第5類、第6類の危険物を運搬する場合には、日光の直射を避けるため遮光性の被覆をする。
(5) 指定数量以上の危険物を車両で運搬する場合には、当該車両の前後の見やすい位置に標識を掲げなければならない。

113 **危険物を車両で運搬する場合の基準について、正しいものを1つ選びなさい。**

(1) 運搬容器の外部には、危険物の品名と数量のみを表示すればよい。

(2) 運搬容器の材質・構造・最大容量は、細かく規定されている。
(3) 指定数量未満の危険物を運搬するときであっても、危険物に適応する消火設備を設けなければならない。
(4) 第2類の危険物と第4類の危険物は混載してはならない。
(5) 液体の危険物は、運搬中に揺れて攪はんされないように、容器を満たんにして積載する。

114 危険物を運搬する場合、混載しても差し支えない組み合わせとして、正しいものを1つ選びなさい。

(1) 第1類の危険物と第2類の危険物
(2) 第2類の危険物と第3類の危険物
(3) 第3類の危険物と第4類の危険物
(4) 第5類の危険物と第6類の危険物
(5) 第6類の危険物と第4類の危険物

115 危険物と危険等級の組み合わせとして、正しいものを1つ選びなさい。

(1) 特殊引火物(第4類)……………危険等級Ⅰ
(2) 第1種酸化性固体(第1類)……危険等級Ⅱ
(3) 黄リン(第3類)…………………危険等級Ⅱ
(4) アルコール類(第4類)…………危険等級Ⅲ
(5) 硫黄(第2類)……………………危険等級Ⅲ

116 危険物の移送について、誤っているものはどれか。1つ選びなさい。

(1) 移送とは移動タンク貯蔵所等によって危険物を移すことをいう。
(2) 移送を開始する前に、消火器等の点検を実施しなければならない。
(3) 1日に3時間を超えて移送する場合は、2人以上で行わなければならない。
(4) 移送する危険物の取扱資格を有する危険物取扱者が乗車し、危険物取扱者免状を携帯しなければならない。

(5) 休憩するために一時停止するときは、安全な場所を選ばなければならない。

117 **移動タンク貯蔵所による危険物の貯蔵・取扱いおよび移送について、誤っているものはどれか。１つ選びなさい。**

(1) 危険物の移送の際、乗車を義務づけられて乗車している危険物取扱者は、免状を携帯しなければならない。

(2) 危険物を移送する者は、定められた長時間にわたるおそれのある移送の場合には、原則として２名以上の運転要員を確保しなければならない。

(3) 移動タンク貯蔵所には、完成検査済証、定期点検記録などを備え付けておかなければならない。

(4) 危険物を移送する場合には、移送する危険物を取り扱うことができる危険物取扱者が必ず乗車しなければならない。

(5) 危険物の移送に際しては移送経路、その他必要な事項を必ず関係の消防機関に送付し、その書面の写しを携帯しなければならない。

118 **移動タンク貯蔵所には、一定の書類を備え付けることとされているが、その義務のないものはどれか。正しいものを１つ選びなさい。**

(1) 設置許可証

(2) 完成検査済証

(3) 定期点検記録

(4) 譲渡・引渡しの届出書

(5) 品名・数量または指定数量の倍数の変更の届出書

119 **消防法違反とこれに対する命令の組み合わせで、誤っているものはどれか。１つ選びなさい。**

(1) 完成検査済証交付前に製造所等を使用した……許可の取消しまたは使用停止命令。

(2) 製造所等で危険物の貯蔵・取扱いの基準に違反した……危険物の貯蔵・取扱基準の遵守命令。

(3) 定期点検の実施、記録の作成、保存がなされないとき……予防規程の変更命令。

(4) 危険物保安監督者を定めないとき……使用停止命令。

(5) 公共の安全の維持または災害の発生の防止のため、緊急の必要があるとき……製造所等の一時使用停止または使用制限命令。

120 **危険物保安統括管理者および危険物保安監督者の解任命令を出すことができる者はだれか。正しいものを1つ選びなさい。**

(1) 都道府県知事　(2) 市町村長等

(3) 消防庁長官　(4) 総務大臣

(5) 消防署長

121 **製造所等の使用停止命令に該当しないものはどれか。1つ選びなさい。**

(1) 危険物の貯蔵、取扱い基準の遵守命令に違反したとき。

(2) 危険物保安統括管理者を定めないとき、またはその者に危険物の保安に関する業務を統括管理させていないとき。

(3) 危険物保安監督者を定めないとき、またはその者に危険物の取扱作業に関して保安の監督をさせていないとき。

(4) 危険物の取扱作業に従事する危険物取扱者が危険物取扱者免状の返還命令を受けたとき。

(5) 危険物保安統括管理者または危険物保安監督者の解任命令に違反したとき。

122 **製造所等の許可の取消しまたは使用停止命令に該当しないのはどれか。1つ選びなさい。**

(1) 許可なく製造所等の位置と構造を変更したとき。(無許可変更)

(2) 完成検査済証の交付を受けないで製造所等を使用したとき。(検査前

使用）

⑶　製造所等に対する措置命令に従わなかったとき。（措置命令違反）

⑷　製造所等の定期点検を実施しなかったとき。（定期点検未実施）

⑸　製造所等の予防規程の変更命令に従わなかったとき。（変更命令違反）

123 **市町村長等は、危険物保安統括管理者および危険物保安監督者の解任を命令することができるが、この命令の受命者として正しいものを１つ選びなさい。**

⑴　受命者は、製造所等の危険物施設保安員である。

⑵　受命者は、製造所等の危険物保安監督者である。

⑶　受命者は、製造所等の危険物保安統括管理者である。

⑷　受命者は、製造所等の責任者である。

⑸　受命者は、製造所等の所有者・管理者または占有者である。

第1章 危険物に関する法令

解答・解説

1 解答 (1) × (2) × (3) ○ (4) × (5) ×

(1) 類は単に性質ごとの区分である。

(2) 甲種・乙種・丙種の区分は、危険物取扱者免状の区分である。

(4) 第１類から第６類までの６種類である。

(5) 危険物と火薬類は分類が異なる。

解説 (5)の「火薬取締法」に定められている火薬類の中には、「消防法」に定める危険物と共通するものもあるが、ごく一部である。

2 解答 (1) × (2) × (3) ○ (4) × (5) ×

(1) 消防法で規定する危険物には、気体は含まれない。

(2) 危険物の類別は、第１類から第６類に分類される。

(4) 危険物は、指定数量が多いほどその危険度は低い。

(5) まず、気体は含まれない。そして、たとえ引火性または発火性を有する固体・液体であっても、そのすべて含まれるとは限らない。

3 解答 (1) × (2) × (3) × (4) × (5) ○

解説 (1)〜(4)は、「消防法別表」に掲げられてはいないので、危険物ではない。

4 解答 (1) ○ (2) ○ (3) ○ (4) ○ (5) ×

(次ページ表「消防法別表」参照)

(1) 硫黄は第２類

(2) 鉄粉は第２類

(3) カリウムは第３類

(4) ナトリウムは第３類

◆ 消防法別表 ◆

類別	性　質	品　　名
第１類	酸化性固体	1　塩素酸塩類　2　過塩素酸塩類 3　無機過酸化物　4　亜塩素酸塩類 5　臭素酸塩類　6　硝酸塩類 7　よう素酸塩類　8　過マンガン酸塩類 9　重クロム酸塩類 10　その他のもので政令で定めるもの 11　前各号に掲げるもののいずれかを含有するもの
第２類	可燃性固体	1　硫化りん　2　赤りん 3　硫黄　4　鉄粉 5　金属粉　6　マグネシウム 7　その他のもので政令で定めるもの 8　前各号に掲げるもののいずれかを含有するもの 9　引火性固体
第３類	自然発火性物質 および 禁水性物質	1　カリウム　2　ナトリウム 3　アルキルアルミニウム　4　アルキルリチウム 5　黄りん 6　アルカリ金属（カリウムおよびナトリウムを除く）およびアルカリ土類金属 7　有機金属化合物（アルキルアルミニウムおよびアルキルリチウムを除く） 8　金属の水素化物　9　金属のりん化物 10　カルシウムまたはアルミニウムの炭化物 11　その他のもので政令で定めるもの 12　前各号に掲げるもののいずれかを含有するもの
第４類	引火性液体	1　特殊引火物　2　第１石油類 3　アルコール類　4　第２石油類 5　第３石油類　6　第４石油類 7　動植物油類
第５類	自己反応性物質	1　有機過酸化物　2　硝酸エステル類　3　ニトロ化合物　4　ニトロソ化合物　5　アゾ化合物　6ジアゾ化合物　7　ヒドラジンの誘導体　8　ヒドロキシルアミン　9　ヒドロキシルアミン塩類　10　その他のもので政令で定めるもの　11　前各号に掲げるもののいずれかを含有するもの
第６類	酸化性液体	1　過塩素酸　2　過酸化水素 3　硝酸 4　その他のもので政令で定めるもの 5　前各号に掲げるもののいずれかを含有するもの

5 **解答** ⑴ ○　⑵ ○　⑶ ○　⑷ ○　⑸ ×

解説 「消防法別表」に規定されている第4石油類とは、ギヤー油、シリンダー油その他1気圧において引火点が200℃以上250℃未満のものをいう。

6 **解答** ⑴ ○　⑵ ○　⑶ ○　⑷ ○　⑸ ×

解説 第4石油類には、「危政令別表第3」では水溶性・非水溶性の区別はない。

7 **解答** ⑴ ×　⑵ ○　⑶ ○　⑷ ○　⑸ ○

解説 特殊引火物の指定数量は50ℓで第4類の中では最小である。

8 **解答** ⑷

解説 設問の条件である引火性液体で、非水溶性液体、1気圧において引火点が−10℃ということは、第4類危険物の第1石油類（1気圧において、引火点が21℃未満）である。その指定数量は200ℓとなっているので、

2,000ℓ ÷200ℓ =10

答えは、10倍となる。ちなみに、この危険物はベンゼンである。

9 **解答** ⑴ ×　⑵ ×　⑶ ○　⑷ ×　⑸ ×

解説 指定数量の倍数計算の基本は、「貯蔵量÷貯蔵する危険物の指定数量」である。複数の異なる危険物を同一場所で貯蔵する場合は、それぞれの倍数の合計となる。

10 **解答** ⑴ ×　⑵ ×　⑶ ○　⑷ ×　⑸ ×

（次ページ表「危険物の指定数量抜粋（危政令別表第3）」参照）

解説 それぞれの指定数量は、ガソリン200ℓ、軽油1,000ℓ、重油2,000ℓ、メチルアルコール400ℓである。このことから、倍数は次のようになる。

ガソリン　1,000ℓ ÷200ℓ = 5

軽油　1,000ℓ ÷1,000ℓ = 1

重油　1,000ℓ ÷2,000ℓ =0.5

メチルアルコール1,000ℓ ÷400ℓ =2.5

これらを合計すると、9倍となる。

◆ 危険物の指定数量抜粋(危政令別表第3)◆

類　別	品　名	性　質	指定数量
第4類	特殊引火物		50 ℓ
	第1石油類	非水溶性液体	200 ℓ
		水溶性液体	400 ℓ
	アルコール類		400 ℓ
	第2石油類	非水溶性液体	1,000 ℓ
		水溶性液体	2,000 ℓ
	第3石油類	非水溶性液体	2,000 ℓ
		水溶性液体	4,000 ℓ
	第4石油類		6,000 ℓ
	動植物油類		10,000 ℓ

11　**解答**　(1) ○　(2) ○　(3) ○　(4) ×　(5) ○

解説　指定数量以上の危険物の貯蔵・取扱いは、製造所等であればどの施設でも貯蔵・取扱いができる。

12　**解答**　(1) ×　(2) ○　(3) ○　(4) ○　(5) ○

(1)　運搬に関しては、その数量に関係なく消防法・政令・規則・告示等で規制されている。

解説　(4)設置および変更は、市町村長等の許可が必要。仮貯蔵・仮取扱いは、消防長または消防署長の承認が必要。(5)ただし、航空機や船舶への給油等を行う場合については、消防法の適用となる。

13　**解答**　(1) ○　(2) ×　(3) ○　(4) ○　(5) ○

解説　正しくは、可燃性固体である。ただし、第2類危険物の中に、品名として「引火性固体」があるので、これと混同しないこと。

14　**解答**　(1) ○　(2) ○　(3) ○　(4) ×　(5) ○

解説　硝酸は、酸化性液体でそれ自体は燃焼しない第6類に区分される。引火性液体は、すべて第4類危険物に該当すると覚えておくとよい。例えば、ガソリン、灯油、重油、エチルアルコール、メチルアルコール、ジエチルエーテル等々。

15 解答 (2)

解説 設問内容は、「法別表備考の第12号」に規定されている。

16 解答 (1) × (2) ○ (3) ○ (4) ○ (5) ○

解説 選択肢の記述は給油取扱所の施設概要である。一般取扱所の施設概要は、給油取扱所・販売取扱所・移送取扱所以外で危険物の取扱いをする施設である。

17 解答 (1) × (2) × (3) × (4) ○ (5) ×

(1) 選択肢の記述内容は製造所ではなく、一般取扱所のことである。

(2) 選択肢の記述内容は屋内貯蔵所ではなく、屋内タンク貯蔵所である。

(3) 屋外貯蔵所では、第1類危険物は貯蔵できない。

(5) 給油取扱所では、固定された給油設備からの運搬容器への給油はできない。固定給油設備から直接給油できるのは、自動車等の燃料タンクへの給油のみである。

18 解答 (1) × (2) × (3) ○ (4) × (5) ×

(1) このような規定はない。

(2) 壁やはりに関しては、耐火構造・不燃材料とする構造規制がある。

(4) 指定数量の倍数が15を超え、40以下の危険物を扱うのは第2種販売取扱所である。

(5) 指定数量の倍数が15以下の危険物を扱うのは第1種販売取扱所である。

19 解答 (5) (次ページ表「危険物施設の区分」参照)

解説 屋外貯蔵所において貯蔵できる危険物は、以下のとおりである。

第2類危険物……硫黄、引火性固体で引火点21℃未満のもの

第4類危険物……第1石油類（引火点が0℃以上のもの)、アルコール類、第2石油類、第3石油類、第4石油類、動植物油。

なお、ガソリンの引火点は−40℃以下なので該当しない。

◆ 危険物施設の区分 ◆

<table>
<tr><th colspan="3">危険物施設の区分</th><th colspan="2">施設の概要</th></tr>
<tr><td colspan="3">製造所</td><td colspan="2">危険物を製造する施設</td></tr>
<tr><td rowspan="8">貯蔵所</td><td colspan="2">屋内貯蔵所</td><td colspan="2">屋内の場所において危険物を貯蔵し、または取り扱う施設</td></tr>
<tr><td colspan="2">屋外タンク貯蔵所</td><td colspan="2">屋外にあるタンク（地下タンク、簡易タンク、移動タンク貯蔵所を除く）において危険物を貯蔵し、または取り扱う施設</td></tr>
<tr><td colspan="2">屋内タンク貯蔵所</td><td colspan="2">屋内にあるタンク（地下タンク、簡易タンク、移動タンク貯蔵所を除く）において危険物を貯蔵し、または取り扱う施設</td></tr>
<tr><td colspan="2">地下タンク貯蔵所</td><td colspan="2">地盤面下に埋没されているタンク（簡易タンク貯蔵所を除く）において危険物を貯蔵し、または取り扱う施設</td></tr>
<tr><td colspan="2">簡易タンク貯蔵所</td><td colspan="2">簡易タンクにおいて危険物を貯蔵し、または取り扱う施設</td></tr>
<tr><td colspan="2">移動タンク貯蔵所</td><td colspan="2">車両に固定されたタンクにおいて危険物を貯蔵し、または取り扱う施設</td></tr>
<tr><td colspan="2">屋外貯蔵所</td><td colspan="2">屋外の場所において（タンクを除く）第２類の危険物のうち硫黄または引火性固体（引火点が21℃未満のものに限る）または第４類の危険物のうち第１石油類（引火点が０℃以上のもの）、アルコール類、第２石油類、第３石油類、第４石油類、動植物油類を貯蔵し、または取り扱う施設</td></tr>
<tr><td colspan="2"></td><td colspan="2"></td></tr>
<tr><td rowspan="5">取扱所</td><td colspan="2">給油取扱所</td><td colspan="2">固定した給油設備によって自動車等の燃料タンクに直接給油するため危険物を取り扱う施設（当該取扱所において、あわせて灯油を容器に詰め替え、または車両に固定された容量4,000ℓ以下のタンクに注入するため固定した注油設備によって危険物を取り扱う施設を含む）</td></tr>
<tr><td rowspan="2">販売取扱所</td><td>第１種販売取扱所</td><td colspan="2">店舗において容器入りのままで販売するため危険物を取り扱う取扱所で、指定数量の倍数が15以下のもの</td></tr>
<tr><td>第２種販売取扱所</td><td colspan="2">店舗において容器入りのままで販売するため危険物を取り扱う取扱所で、指定数量の倍数が15を超え40以下のもの</td></tr>
<tr><td colspan="2">移送取扱所</td><td colspan="2">配管およびポンプならびにこれらに付属する設備によって危険物の移送の取扱いを行う施設</td></tr>
<tr><td colspan="2">一般取扱所</td><td colspan="2">給油取扱所、販売取扱所、移送取扱所以外で危険物の取扱いをする施設</td></tr>
</table>

20 解答 (1) × (2) ○ (3) ○ (4) ○ (5) ○

（次ページ図「設置場所、受付者・許可権者」参照）

解説 製造所等（移送取扱所を除く）の設置・変更にかかる許可権者は、その市町村の区域に消防本部および消防署が設置されているかどうかで異なってくる。

設置場所	受付者・許可権者
①消防本部、消防署を設置している市町村の区域（移送取扱所を除く） ②消防本部、消防署を設置している１つの市町村のみに設置される移送取扱所	その区域の市町村長
③消防本部、消防署を設置していない市町村の区域（移送取扱所を除く） ④消防本部、消防署を設置していない市町村の区域または２以上の市町村にまたがる移送取扱所	その区域の都道府県知事
⑤２以上の都道府県にまたがる移送取扱所	総務大臣

21 解答 (1) × (2) × (3) × (4) ○ (5) ×

解説 タンクを設置または変更する場合は、製造所等全体の完成検査を受ける前に、市町村長等が行う完成検査前検査を受けなければならない。

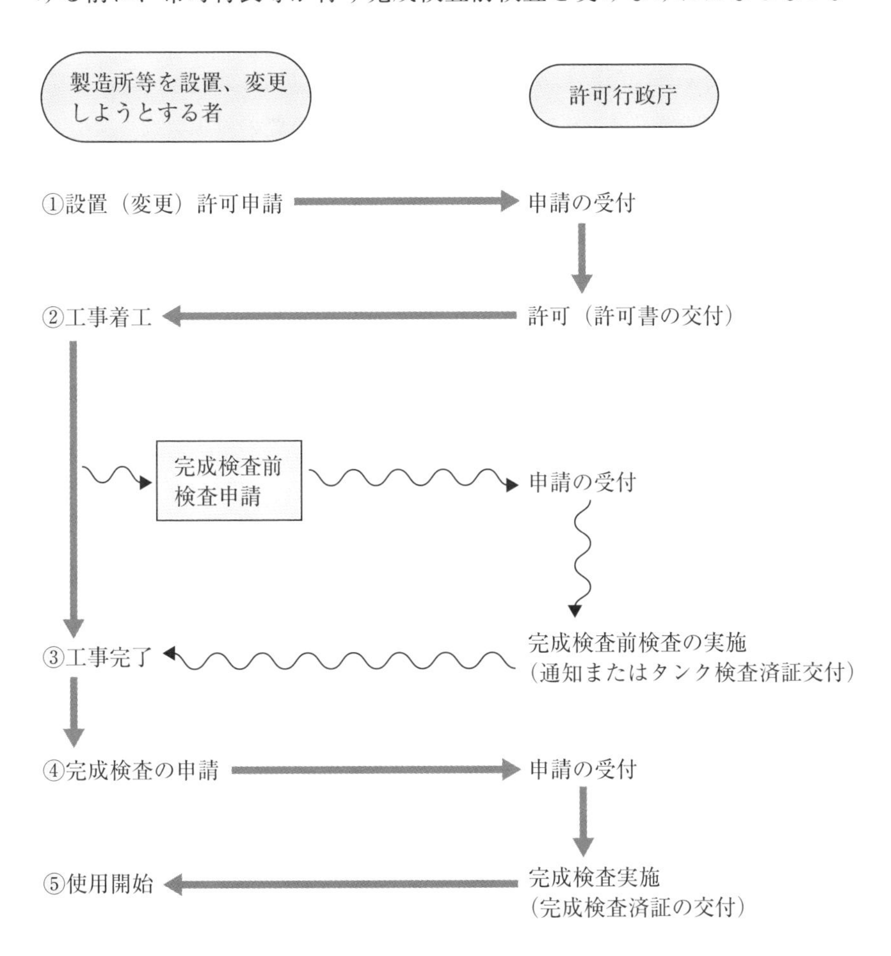

22 解答 (1) × (2) × (3) ○ (4) × (5) ×

(1) 消防署長ではなく、市町村長に許可を受ける。

(2) 消防署長ではなく、市町村長が正しい。

(4) 承認ではなく、許可を受ける。

(5) 都道府県知事ではなく、市町村長が正しい。

解説 「消防本部および消防署が置かれていない市町村の区域」で給油取

扱所を設置する場合には、市町村長ではなく、都道府県知事の許可を受けることになる。

23 **解答** (1) ○ (2) ○ (3) ○ (4) × (5) ○

解説 完成検査前検査を受けなければならないのは、液体危険物タンクを設置する場合である。ただし、製造所および一般取扱所に設置するもので、容量が指定数量未満のものについては完成検査前検査の対象外である。

24 **解答** (1) × (2) ○ (3) × (4) × (5) ×

解説 製造所等の設置・変更には、市町村長等の許可が必要である。

25 **解答** (1) ○ (2) × (3) × (4) × (5) ×

(2) 「許可を受ける前に受ける」が誤りで、完成検査前検査は許可を受けた後に行うのが正しい。

(3) 完成検査は、選択肢の記述の他に、位置・構造・設備を変更する場合にも受けなければならない。

(4) 完成検査前検査は、水張（水圧）検査、基礎・地盤検査、溶接部検査の３種類である。

(5) 貯蔵量1,000kℓ以上の場合には、水張（水圧）検査、基礎・地盤検査および溶接部検査の全ての検査を受けなければならない。

26 **解答** (1) × (2) × (3) ○ (4) × (5) ×

解説 (1)(2)(4)(5)どのような理由があろうとも、変更工事に係る部分の使用に関しては、完成検査終了までは仮使用の承認はなされない。災害の危険性があるからである。

27 **解答** (1) × (2) × (3) × (4) ○ (5) ×

解説 危政令第８条の規定により、完成検査を受けた後でも、当該製造所等が政令で定める技術上の基準に適合していると認められ、その結果として完成検査済証が交付された後でなければ使用できない。

◆ 届出項目とその内容等 ◆

届出項目	内　　容	届出先
製造所等の譲渡または引渡	製造所等の譲渡または引渡があった時は、譲受人または引渡を受けた者は許可を受けた者の地位を継承し、遅滞なく届け出なければならない。	市町村長等
危険物の品名・数量または指定数量の倍数の変更	製造所等の位置、構造、設備を変更しないで、貯蔵または取り扱う危険物の品名、数量または指定数量の倍数を変更しようとする者は、変更しようとする日の10日前までに届け出なければならない。	
製造所等の廃止	製造所等の用途を廃止した場合、当該施設の所有者、管理者または占有者は遅滞なく届け出なければならない。	
危険物保安統括管理者の選任・解任	同一事業所において特定の製造所等を所有し、管理し、または占有する者は危険物保安統括管理者を定め遅滞なく届け出なければならない。これを解任したときも同様とする。	
危険物保安監督者の選任・解任	特定の製造所等の所有者、管理者または占有者は危険物保安監督者を定めた場合は遅滞なく届け出なければならない。これを解任したときも同様とする。	

28　**解答**　(1) ×　(2) ×　(3) ×　(4) ×　(5) ○

(1) 変更しようとする10日前までに、その旨市町村長等に届け出るのが正しい。(上記「届出項目とその内容等」参照)

(2) 変更した後にではなく、変更しようとする日の10日前までに市町村長等に届け出る。

(3) これも(2)と同様である。

(4) 承認を受けるのではなく、市町村長等に届け出る。

29　**解答**　(1) ×　(2) ×　(3) ○　(4) ×　(5) ×

解説 「10日以内」「消防長または消防署長」「承認」を問う出題があるので、セットで覚えておこう。

30　**解答**　(1) ×　(2) ○　(3) ○　(4) ○　(5) ○

解説 廃止したときは、単に届け出るだけでよい。

31　**解答**　(1) ○　(2) ×　(3) ×　(4) ×　(5) ×

(2) 譲渡を受けたり引渡しを受けた場合には、新たに許可を受ける必要はない。なぜならば、許可はその製造所等の所有者・管理者および占有者の資格に対してではなく、施設そのものが法令に定める基準に合致しているかどうかに対してのものだからである。

(3) 10日以内ではなく、遅滞なく。承認ではなく、届出が正しい。

(4) 10日以内ではなく、遅滞なく。所轄消防長または消防署長にではなく、市町村長等に届け出る。

(5) 同様に、都道府県知事にではなく、市町村長等に届け出る。

32 解答 (1) × (2) × (3) ○ (4) × (5) ×

(1) 危険物取扱者の免状は、都道府県知事から交付されたものである。したがって、製造所等での選任のあるなしは一切関係ない。

(2) 丙種危険物取扱者の取り扱うことのできる危険物は、ガソリン、灯油、軽油、第3石油類、第4石油類、動植物油類である。

(4) 乙種第4類危険物取扱者は、第4類すべての危険物を取り扱うことができる。特殊引火物は第4類危険物である。

(5) 危険物施設保安員は、危険物取扱者の資格者以外からも選任できることから、危険物施設保安員が危険物取扱者の資格がない場合には、別に危険物取扱者を置く必要がある。

33 解答 (1) × (2) × (3) × (4) ○ (5) ×

(1) 15年ではなく、10年である。

(2) 免状の亡失・滅失・汚損・破損には、届出義務はない。これらの理由で再交付を受けたいときには、申請することができる。

(3) 居住地を管轄する市町村長ではなく、交付または書換えをした都道府県知事に再交付の申請をすることができる。

(5) 都道府県知事は、免状の返納命令のあった日から1年を経過しない者には、免状の交付を行わないことができる。

34 解答 (1) ○ (2) ○ (3) ○ (4) ○ (5) ×

解説 移動タンク貯蔵所により危険物を移送する場合には、免状を携帯する義務がある。しかし、他の製造所等において危険物の取扱作業に従事する場合には、免状の携帯は義務付けられてはいない。

35 解答 (1) ○ (2) ○ (3) ○ (4) ○ (5) ×

（次表「免状の種類と取り扱える危険物」参照）

解説　丙種の資格では、アルコール類は取り扱うことはできない。

◆ 免状の種類と取り扱える危険物 ◆

免状の種類	取扱作業	立会い
甲　種	全　類	全　類
乙　種	免状に記載されている類	免状に記載されている類
丙　種	ガソリン、灯油、軽油、第３石油類（重油、潤滑油及び引火点が130℃以上のもの）、第４石油類及び動植物油類	×

36　解答　(1) ×　(2) ×　(3) ×　(4) ×　(5) ○

（次ページ図「保安講習サイクル」参照）

(1)　書換えと保安講習は関係がない。

(2)　法令違反と保安講習は直接関係がない。

(3)　危険物保安監督者のみならず、危険物取扱者は製造所等において危険物の取扱作業に従事していれば、保安講習を受講しなければならない。

(4)　危険物施設保安員には危険物取扱者の免状を持たない者でも選任できることから、危険物取扱者の免状を持たない危険物施設保安員には、保安講習の受講義務はない。

37　解答　(5)

解説　免状返納命令の対象となるのは、「消防法」および「消防法に基づく命令の規定」に違反したときである。したがって、(1)(2)(3)(4)は該当しない。(5)は、消防法第10条第３項の「製造所、貯蔵所または取扱所においてする危険物の貯蔵または取扱いは、政令で定める技術上の基準に従ってこれを行わなければならない」という規定に違反する。

◆保安講習サイクル◆

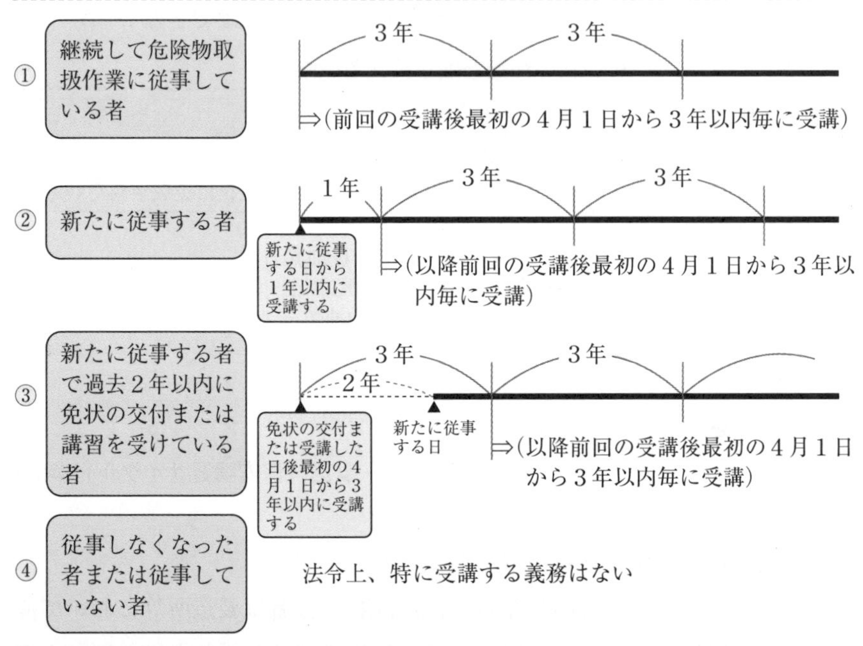

【注】◎危険物の取扱作業に従事しなくなった者、または従事していない者は、受講の義務はない。
◎保安講習の受講は、全国どこの都道府県でも可能。

38　**解答**　(1)　×　(2)　×　(3)　×　(4)　×　(5)　○

(1)　受講はどこの都道府県でも可能である。

(2)　これは、危険物取扱者の受講義務違反に該当するので、免状返納命令の対象となる。

(3)　受講義務は甲種・乙種・丙種とも同一である。

(4)　このような規定はない。

解説　製造所等で危険物の取扱作業に従事している危険物取扱者は、原則として保安講習を前回の受講後最初の4月1日から3年ごとに受講することが義務付けられている。

39　**解答**　(1)　○　(2)　○　(3)　○　(4)　×　(5)　○

解説　危険物保安統括管理者および危険物施設保安員に関しては、資格上の規定はないので、必ずしも危険物取扱者の資格は必要とはされない。ただし、危険物保安監督者に関しては、その責務上、甲種または乙種の危険物取扱者免状を有する者でなければならないと規定されている。

40 **解答** (1)

解説 正しいのは②のみである。①選任しなければならないのは、政令で定める製造所のみである。③必要な実務経験は取得した類のみで6か月以上である。④丙種危険物取扱者には危険物保安監督者に選任される資格はない。必要なのは、甲種または乙種危険物取扱者の資格である。⑤これは危険物保安統括管理者の業務である。

41 **解答** (3)

解説 移動タンク貯蔵所とは一般にタンクローリーのことをいい、危険物保安監督者の選任は不要である。「危険物保安監督者が不必要なのは、移動タンク貯蔵庫」は、必ず覚えておくこと。

42 **解答** (3)

解説 危険物保安監督者選任対象施設は、貯蔵し、取り扱う危険物の類・数量・引火点の高低等により政令で定められている。この区分は余裕のある人は覚えておけばよい。

◆ 保安監督者選任対象施設（○印が対象）◆

危険物の種類		引火性の危険物（第４類の危険物）				引火性以外の危険物（第４類以外の危険物）	
貯蔵・取り扱う危険物の数量		指定数量の30倍以下		指定数量の30倍を超えるもの		指定数量の30倍以下	指定数量の30倍を超えるもの
貯蔵・取り扱う危険物の引火点 製造所等の区分		40℃以上のみ	40℃未満	40℃以上のみ	40℃未満		
製造所		すべて必要					
屋内貯蔵所			○	○	○	○	○
屋外タンク貯蔵所		すべて必要					
屋内タンク貯蔵所			○		○	○	○
地下タンク貯蔵所			○	○	○	○	○
簡易タンク貯蔵所			○		○	○	○
移動タンク貯蔵所		不必要					
屋外貯蔵所				○	○		○
給油取扱所		○	○	○	○		
第１種販売取扱所			○			○	
第２種販売取扱所			○		○	○	○
移送取扱所		すべて必要					
一般取扱所	ボイラー等消費・容器詰替のもの		○	○	○	○	○
一般取扱所	上記以外のもの	すべて必要					

43 解答 (1) ○ (2) ○ (3) ○ (4) ○ (5) ×

解説 予防規程を作成する義務があるのは、所有者・管理者、または占有者である。

44 解答 (1) × (2) ○ (3) ○ (4) ○ (5) ○

解説 予防規程とは、主に火災予防上の見地から作成し、遵守しなければならない自主保安規程である。予防規程に定めなければならない事項は以下のとおりである。

① 危険物の保安業務を管理する者の職務と組織に関して。
② 化学消防自動車の設置と自衛の消防組織に関して。
③ 保安作業従事者に対する保安教育に関して。
④ 保安のための巡視・点検・検査に関して。
⑤ 危険物取扱作業の基準に関して。
⑥ 災害時・非常時にとるべき措置に関して。

45 解答 (1) ○ (2) ○ (3) ○ (4) × (5) ○

解説 予防規程を定めるのは、製造所等の所有者・管理者・占有者である。

46 解答 (5)

解説 予防規程を定めなくともよいとされているのは、屋内タンク貯蔵所・地下タンク貯蔵所・簡易タンク貯蔵所・移動タンク貯蔵所・販売所の5つである。

◆ 予防規程制定の対象となる製造所等 ◆

対象となる製造所等	貯蔵し、または取り扱う危険物の数量等
製造所	指定数量の倍数が10以上
屋内貯蔵所	指定数量の倍数が150以上
屋外タンク貯蔵所	指定数量の倍数が200以上
屋外貯蔵所	指定数量の倍数が100以上
給油取扱所	全て定める
移送取扱所	全て定める
一般取扱所	指定数量の倍数が10以上

(備考) 次の危険物施設は除く
○ 鉱山保安法第10条第1項の規定による保安規程を定めている製造所等
○ 火薬類取締法第28条第1項の規定による危害予防規程を定めている製造所等
○ 自家用給油取扱所のうち屋内給油取扱所以外のもの
○ 指定数量の倍数が30以下で、かつ、引火点が40℃以上の第4類の危険物のみを容器に詰め替える一般取扱所

47 解答 (1) × (2) × (3) × (4) ○ (5) ×

(1) 届け出ではなく、認可が正しい。

(2) 承認ではなく、認可が正しい。

(3) 許可ではなく、認可が正しい。

(5) 変更のときも届け出ではなく、認可が正しい。

解説 消防法第14条の2に「予防規程を定め、市町村長等の認可を受けなければならない。これを変更するときも、同様とする」とされている。承認や許可ではないことに留意する。

48 解答 (1) ○ (2) × (3) ○ (4) ○ (5) ○

解説 定期点検の結果に関しては、特別にだれかに対して報告の義務はないが、消防機関からこれらの資料の提出を求められることがある。

49 解答 (1) × (2) × (3) × (4) × (5) ○

解説 移動タンク貯蔵所・地下タンク貯蔵所・移送取扱所については、指定数量の倍数にかかわらず、すべて定期点検の実施が義務付けられている。

50 解答 (1) ○ (2) × (3) ○ (4) ○ (5) ○

解説 法令上、点検結果を市町村長等に報告する義務はない。また、点検に市町村長等の立会いの必要もない。

51 解答 (3)

解説 屋内タンク貯蔵所・簡易タンク貯蔵所・販売取扱所については、定期点検は義務付けられていない。

52 解答 (1) ○ (2) ○ (3) ○ (4) ○ (5) ×

解説 危険物施設保安員は、立会いはできない。丙種危険物取扱者も定期点検はできる。また、危険物取扱の立会いはできないが、定期点検の立会いはできる。定期点検を実施できるのは以下の者である。①危険物取扱者②危険物施設保安員③危険物取扱者の立会いを受けた者

◆ 定期点検の対象となる製造所等 ◆

対象となる製造所等	貯蔵し、または取り扱う危険物の数量等
製造所	指定数量の倍数が10以上及び地下タンクを有するもの
屋内貯蔵所	指定数量の倍数が150以上
屋外タンク貯蔵所	指定数量の倍数が200以上
屋外貯蔵所	指定数量の倍数が100以上
地下タンク貯蔵所	すべて実施する
移動タンク貯蔵所	すべて実施する
給油取扱所	地下タンクを有するもの
移送取扱所	すべて実施する
一般取扱所	指定数量の倍数が10以上及び地下タンクを有するもの

（備考）次の危険物施設は除く
- ○ 鉱山保安法第10条第1項の規定による保安規程を定めている製造所等
- ○ 火薬類取締法第28条第1項の規定による危害予防規程を定めている製造所等
- ○ 移送取扱所のうち、配管の延長が15kmを超えるものまたは配管に係る最大常用圧力が0.95MPa以上で、かつ、配管の延長が7km以上15km未満のもの
- ○ 指定数量の倍数が30以下で、かつ、引火点が40℃以上の第4類の危険物のみを容器に詰め替える一般取扱所

53 解答 (1) ○ (2) ○ (3) ○ (4) ○ (5) ×

解説 保安検査を実施するのは、市町村長等である。

54 解答 (1) ○ (2) ○ (3) ○ (4) × (5) ○

解説 学校・病院・福祉施設・劇場・映画館等の多くの人が集まる施設などからは、30m以上の保安距離が必要とされる。

◆ 保安距離の例 ◆

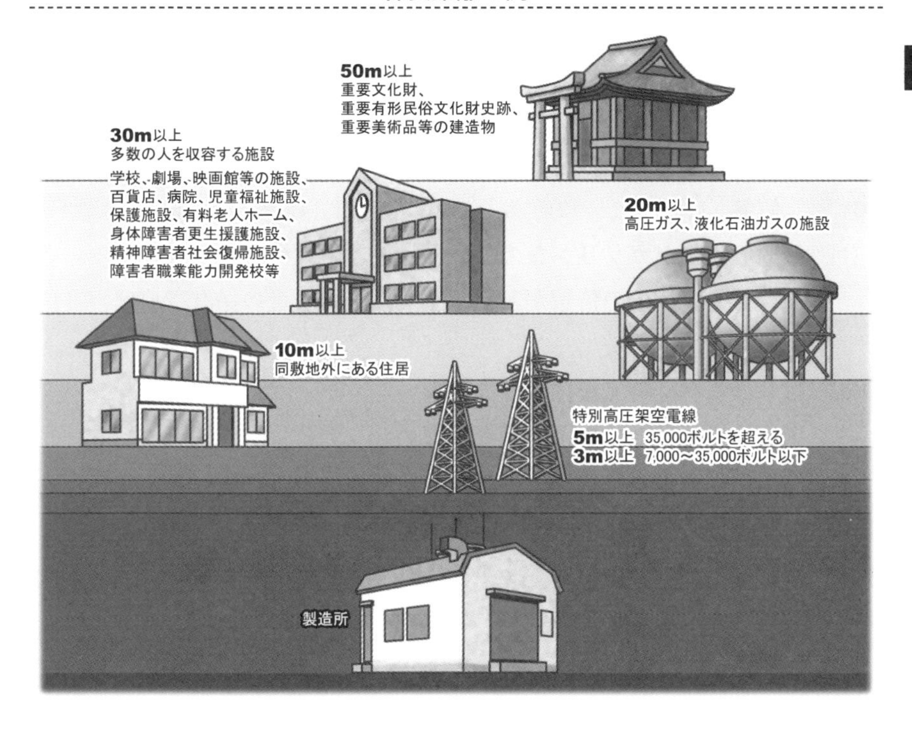

55 解答 (4)

解説 保安距離を必要とする製造所等は、以下のとおりである。①製造所②屋内貯蔵所③屋外タンク貯蔵所④屋外貯蔵所⑤一般取扱所

56 解答 (1) ○ (2) ○ (3) ○ (4) × (5) ○

解説 学校・病院等から一定の保安距離を設ける必要のある5施設には、保有空地も設ける必要がある。これに加えて、屋外に設ける簡易タンク貯蔵所・地上に設ける移送取扱所にも保有空地が必要となる。

57 解答 (4)

解説 保有空地を必要としない施設は、①屋内タンク貯蔵所②地下タンク貯蔵所③移動タンク貯蔵所④給油取扱所⑤販売取扱所の5つである。

58 解答 (1) ○ (2) × (3) ○ (4) ○ (5) ○

解説 製造所においては、床面積の制限はない。10,000㎡以下という制限はどこにもない。床面積1,000㎡以下の制限があるのは屋内貯蔵所である。

59 解答 (1) ○ (2) ○ (3) ○ (4) ○ (5) ×

解説 ガラスは、網入りガラスであれば使用できる。

60 解答 (1) ○ (2) ○ (3) ○ (4) ○ (5) ×

解説 建物内で爆発があったとき、爆風が上に抜けるように、天井を設けてはならない。また、屋根を軽量な不燃材料にするのも同じ理由である。

61 解答 (1) × (2) × (3) × (4) ○ (5) ×

(1) 扱う危険物がガソリンなので、同施設は耐火構造の施設となる。その場合、指定数量の倍数が20を超え50以下の場合の保有空地は、3m以上である。

(2) はりは不燃材料でなければならない。

(3) 床は地盤面以上でなければならない。

(5) 排出口は屋根上に設けなければならない。

62 解答 (1) ○ (2) × (3) ○ (4) ○ (5) ○

解説 防油堤の容量は、タンク容量の110%以上とし、2以上のタンクがある場合には「最大」タンクの110%以上でなければならない。

63 解答 (1) × (2) × (3) ○ (4) × (5) ×

解説 a・b・e・fの距離に関しては、規定されていないので答えは(3)となる。保安距離とは、保安対象物から危険物までの距離である。したがって、タンクに貯蔵している場合には、タンクの外壁から保安対象物までの距離がそれに当たる。

64 解答 (1) × (2) ○ (3) × (4) × (5) ×

(次ページ図「屋外タンク貯蔵所の設置例」参照)

解説 防油堤を設けなければならないのは、屋外タンク貯蔵所のみである。

65 解答 (1) ○ (2) × (3) ○ (4) ○ (5) ○

解説 保有空地の幅は、15m以上ではなく5m以上が正しい。

◆ 屋外タンク貯蔵所の設置例 ◆

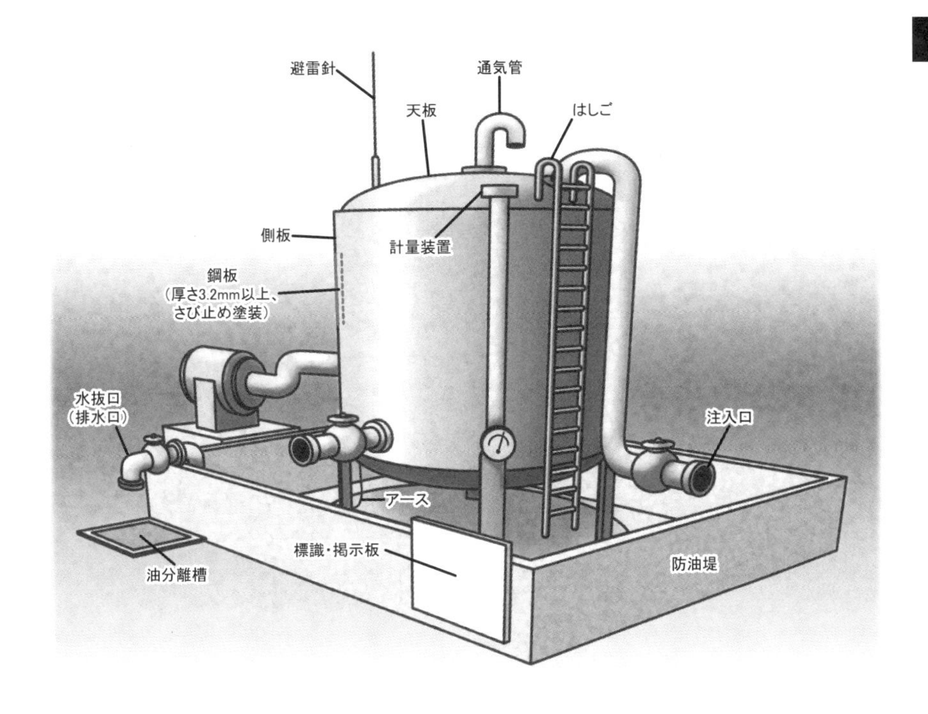

66 **解答** (1) ○ (2) ○ (3) ○ (4) × (5) ○

解説 タンク専用室には天井を設けてはならない。

67 **解答** (1) ○ (2) ○ (3) × (4) ○ (5) ○

解説 原則としては、屋内貯蔵タンクの容量は、指定数量の40倍以下としなければならない。ただし、第4石油類および動植物油類以外の第4類危険物については、20,000 ℓ 以下としなければならない。その際、同一のタンク専用室に二以上の屋内貯蔵タンクがある場合の最大容量は、タンク容量を合算した量とする。

68 **解答** (1) × (2) × (3) ○ (4) × (5) ×

解説 屋外タンク貯蔵所のタンクの周囲に設ける防油堤の容量は、タンク容量の110%以上とされている。ただし、2以上のタンクがある場合には、最大容量をもつタンク容量の110%以上とする。このことから、設問の場合の防油堤の最小容量は660kℓとなる。

69 **解答** (1) ○ (2) ○ (3) × (4) ○ (5) ○

解説 屋内貯蔵タンクの最大容量は、指定数量の40倍以下となっている。ただし、第4石油類および動植物油類以外の第4類危険物に関しては、その最大容量は20,000ℓ以下としなければならない。

したがって、指定数量1,000ℓの第2石油類の非水溶性液体の40倍は40,000ℓとなるが、制限の20,000ℓを超えることから、タンク最大容量は20,000ℓ以下としなければならない。

70 **解答** (1) ○ (2) ○ (3) ○ (4) ○ (5) ×

解説 地下貯蔵タンクは、タンク室に設置する方法等もあり、必ずしも直接地盤面下に埋設しなければならないわけではない。

71 **解答** (1) ○ (2) ○ (3) ○ (4) ○ (5) ×

解説 二重殻タンク以外の鋼製タンクは、直接地盤面下に埋設してはならない。下の図表のとおり。

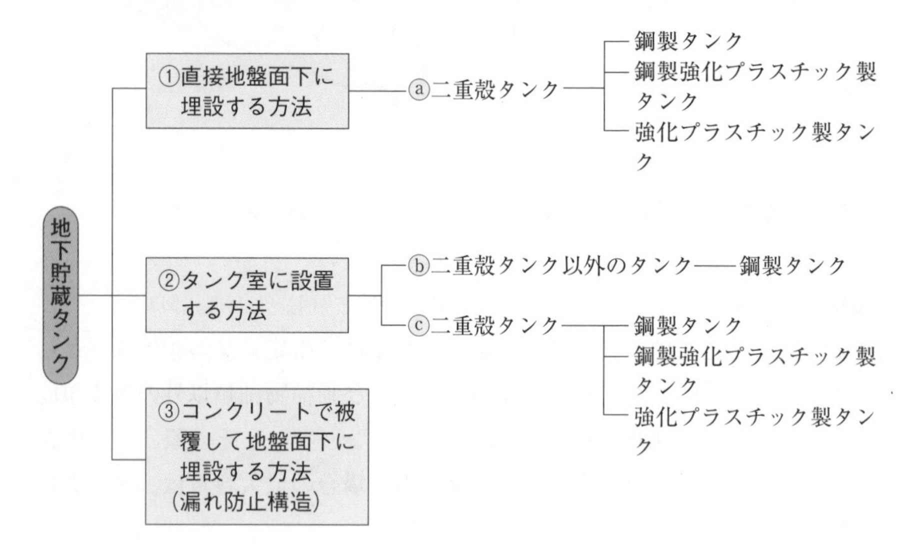

72 **解答** (1) ○ (2) ○ (3) ○ (4) × (5) ○

解説 通気管は地下貯蔵タンクの底部ではなく、頂部に取り付ける。

73 **解答** (1) ○ (2) ○ (3) ○ (4) ○ (5) ×

解説 eは漏洩検査管である。漏洩検査管はタンクから危険物が漏れていないかどうかを検査するための管で、タンクの周囲に4か所以上設置しなければならない。

74　**解答**　(1)　×　(2)　×　(3)　○　(4)　×　(5)　×

(1)　通気管の接合部分についての損傷の有無の点検は、溶接による接合部分は除外される。

(2)　常時閉鎖ではなく、開放している構造とする。

(4)　通気管は圧力調整弁としての役割が主目的だが、その排出される気体には必然的に可燃性蒸気が含まれていることから、排出口は地上4m以上の高所に出す。

(5)　通気管の上部の地盤面にかかる重量が直接当該部分にかからないように保護しなければならない。

75　**解答**　(1)　○　(2)　○　(3)　○　(4)　○　(5)　×

解説　2m以上の空地が誤りで、1m以上が正しい。なお、簡易タンク貯蔵所に関しては、タンクの最大容量600ℓ以下と設置数3基までの規定が頻繁に出題されるので要注意である。

76　**解答**　(1)　○　(2)　×　(3)　○　(4)　○　(5)　○

解説　当然のことながら、移動タンク貯蔵所にも容量制限がある。以下は、よく出題されるので重要である。

①　最大容量30,000ℓ以下。

②　内部に4,000ℓ以下ごとに、3.2㎜以上の厚さの間仕切板を設ける。

③　容量2,000ℓ以上のタンク室には1.6㎜以上の厚さの鋼板で造った防波板を設ける。

77　**解答**　(3)

解説　危政令第15条第1項第3号により、以下のように規定されている。「移動貯蔵タンクは、容量を30,000ℓ以下とし、かつその内部に4,000ℓ以下ごとに完全な間仕切を厚さ3.2㎜以上の鋼板またはこれと同等以上の機械的性質を有する材料で設けること」

78　**解答**　(1)　○　(2)　○　(3)　○　(4)　○　(5)　×

解説　屋外貯蔵所の保有空地の幅は、指定数量10以下は3m以上、10を超え20以下は6m以上、20を超え50以下は10m以上、50を超え200以下は20

m以上、200超は30m以上である。

79 解答 (1) ○ (2) ○ (3) ○ (4) ○ (5) ×

解説 「引火点が低い」「自然発火する」「水と反応する」といった危険性の高い危険物は、屋外貯蔵所には貯蔵できない。アセトンは引火点が－20℃と低いため貯蔵できない。その他貯蔵できない危険物には、ジエチルエーテル、黄りん、ガソリン、ベンゼンなどがある。

80 解答 (1) × (2) ○ (3) × (4) × (5) ×

解説 屋外貯蔵所では、第４類危険物のうち特殊引火物の貯蔵は認められていない。屋外貯蔵所での貯蔵が認められているのは、以下のとおりである。

① 第２類危険物のうち、硫黄または引火点０℃以上の引火性固体。

② 第４類危険物のうち、引火点０℃以上の第１石油類、アルコール類、第２・３・４石油類、動植物油類。

硫化リンは第２類危険物だが、硫黄でも引火性固体でもないので貯蔵できない。

81 解答 (1) ○ (2) ○ (3) ○ (4) × (5) ○

解説 注油空地ではなく、給油空地である。なお、注油空地は、給油空地以外の場所に設けなければならない。

82 解答 (1) ○ (2) ○ (3) ○ (4) ○ (5) ×

解説 給油取扱所に出入りする者を対象とした立体駐車場・遊技場・診療所は設けることができない。

83 解答 (1) ○ (2) ○ (3) × (4) ○ (5) ○

解説 危険物を注入中の専用タンクに接続している固定給油設備は、使用してはならない。速度を遅くすればよいのではない。

84 解答 (1) ○ (2) × (3) ○ (4) ○ (5) ○

解説 顧客用固定給油設備であっても、顧客に自らガソリンを容器へ詰め替えさせてはならない。

85 解答 (1) ○ (2) ○ (3) ○ (4) × (5) ○

解説 固定注油設備の固定給油設備からの距離は、４mから６m以上の間隔を保つ必要があると規定されている。

86 解答 (1) ○ (2) ○ (3) ○ (4) ○ (5) ×

解説 第1種販売取扱所で取り扱うことができる指定数量は、15を超え40以下ではなく、15以下が正しい。15を超え40以下の指定数量を取り扱うことができるのは、第2種販売取扱所である。

87 解答 (1) ○ (2) ○ (3) × (4) ○ (5) ○

解説 床面積の制限はないが誤り。第1種販売取扱所の危険物の配合室には、床面積の制限その他一定の構造および設備の基準がある。

88 解答 (1) × (2) ○ (3) ○ (4) ○ (5) ○

解説 第2種販売取扱所の店舗部分は、壁・柱・はりをすべて耐火構造にしなければならない。第1種販売取扱所に比べて、さらに厳しい構造・設備の基準になっている。

89 解答 (1) × (2) ○ (3) ○ (4) ○ (5) ○

解説 これは基本中の基本である。保安距離を必要とされる製造所等では、重要文化財、重要有形民俗文化財史跡、重要美術品等の建造物等から50m以上の距離を確保しなければならない。

90 解答 (4)

解説 指定数量以下を扱う施設は、一般取扱所には該当しない。

91 解答 (1) ○ (2) ○ (3) ○ (4) ○ (5) ×

解説 移動タンク貯蔵所に掲げる標識の大きさは、0.3m平方以上0.4m平方以下である。

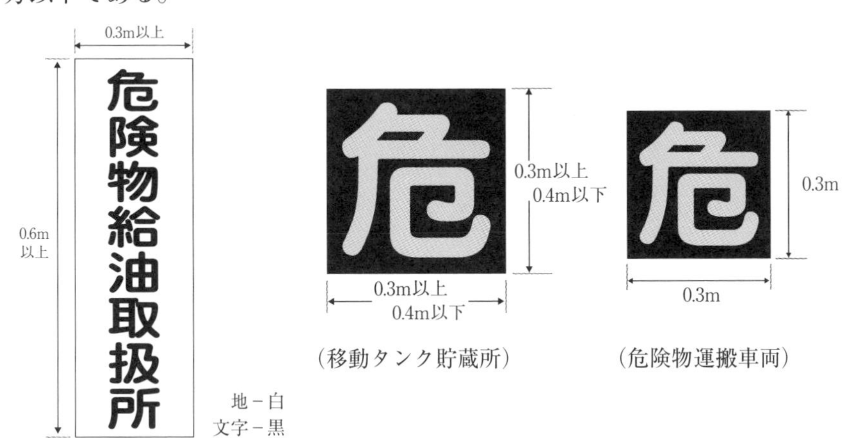

(移動タンク貯蔵所)　(危険物運搬車両)

92 解答 (1) ○ (2) ○ (3) ○ (4) ○ (5) ×

解説 製造所等の掲示板には、所有者・管理者および占有者の氏名を表示することは義務付けられていない。掲示に必要とされるのは、選択肢(1)〜(4)までの事項である。

93 解答 (1) ○ (2) ○ (3) × (4) ○ (5) ○

解説 これも基本中の基本である。自然発火性物品に関しては、「火気厳禁」と表示しなければならない。

94 解答 (1) ○ (2) ○ (3) × (4) ○ (5) ○

解説 小型消火器は第5種消火設備に該当する。

95 解答 (2)

解説 第3種消火設備は、水蒸気・泡・二酸化炭素等の固定式消火設備である。屋外消火栓設備は、第1種消火設備に該当する。

96 解答 (3) (次ページ表「危政令別表第5」参照)

(1) 第5種消火設備

(2) 第5種消火設備

(4) 第3種消火設備

(5) 第5種消火設備

◆ 危政令別表第５ ◆

消火設備の区分			対象物の区分											
			建築物その他の工作物	電気設備	第１類の危険物		第２類の危険物			第３類の危険物		第４類の危険物	第５類の危険物	第６類の危険物
					アルカリ金属の過酸化物又はこれを含有するもの	その他第一類の危険物	鉄粉・金属粉若しくはマグネシウム又はこれらのいずれかを含有するもの	引火性固体	その他の第２類の危険物	禁水性物品	その他の第３類の危険物			
第１種		屋内消火栓設備又は屋外消火栓設備	○			○		○	○		○		○	○
第２種		スプリンクラー設備	○			○		○	○		○		○	○
第３種		水蒸気消火設備又は大噴霧消火設備	○	○		○		○	○		○	○	○	○
第３種		泡消火設備	○			○		○	○		○	○	○	○
第３種		二酸化炭素消火設備		○				○				○		
第３種		ハロゲン化物消火設備		○				○				○		
第３種	粉末消火設備	りん酸塩類等を使用するもの	○	○		○		○	○			○		○
第３種	粉末消火設備	炭酸水素塩類等を使用するもの		○	○		○	○		○		○		
第３種	粉末消火設備	その他のもの			○		○			○				
第４種又は第５種		棒状の水を放射する消火器				○		○	○		○		○	○
第４種又は第５種		霧状の水を放射する消火器	○	○		○		○	○		○		○	○
第４種又は第５種		棒状の強化液を放射する消火器	○			○		○	○		○		○	○
第４種又は第５種		霧状の強化液を放射する消火器	○	○		○		○	○		○	○	○	○
第４種又は第５種		泡を放射する消火器	○			○		○	○		○	○	○	○
第４種又は第５種		二酸化炭素を放射する消火器		○				○				○		
第４種又は第５種		ハロゲン化物を放射する消火器		○				○				○		
第４種又は第５種	消火粉末を放射する消火器	りん酸塩類等を使用するもの	○	○		○		○	○			○		○
第４種又は第５種	消火粉末を放射する消火器	炭酸水素塩類等を使用するもの		○	○		○	○		○		○		
第４種又は第５種	消火粉末を放射する消火器	その他のもの			○		○			○				
第５種		水バケツ又は水槽	○			○		○	○		○		○	○
第５種		乾燥砂			○	○	○	○	○	○	○	○	○	○
第５種		膨張ひる石又は膨張真珠岩			○	○	○	○	○	○	○	○	○	○

備考
1　○印は、対象物の区分の欄に掲げる建築物その他の工作物、電気設備及び第１類から第６類までの危険物に、当該各項に掲げる第１種から第５種までの消火設備がそれぞれ適応するものであることを示す。
2　消火器は、第４種の消火設備については大型のものをいい、第五種の消火設備については小型のものをいう。
3　りん酸塩類とは、りん酸塩類、硫酸塩類その他防炎性を有する薬剤をいう。
4　炭酸水素塩類等とは、炭酸水素塩類及び炭酸水素塩類と尿素との反応生成物をいう。

97　**解答**　(2)

解説　大型消火器はすべて第4種消火設備に属する。第5種消火設備に属するのは小型消火器で、他に各種の小型消火器、水バケツまたは水槽、乾燥砂、膨張ひる石、膨張真珠岩などである。

98　**解答**　(1)

解説　これも基本中の基本である。屋内消火栓は水なので、基本的には油火災の第4類危険物の火災には適さない。

99　**解答**　(3)

解説　泡を放射する消火器は、窒息消火が有効な火災に適応するもので、電気設備の火災には不適である。問題は、感電の危険性があるかどうかである。水の場合は、霧状に放射する場合は電気火災にも有効である。

100　**解答**　(1)　○　(2)　○　(3)　○　(4)　○　(5)　×

解説　指定数量の20倍が誤りで、10倍が正しい。

◆ 所要単位の算出法 ◆

製造所等の構造及び危険物		1所要単位あたりの数値
製造所 取扱所	耐火構造	延面積　100㎡
	不燃材料	〃　50㎡
貯蔵所	耐火構造	〃　150㎡
	不燃材料	〃　75㎡
屋外の製造所等		外壁を耐火構造とし、水平最大面積を建坪とする建物とみなして算定する
危　険　物		指定数量　10倍

101　**解答**　(1)　○　(2)　○　(3)　○　(4)　○　(5)　×

解説　自動警報装置の設置が義務付けられているのは、屋内給油取扱所である。記述内容は正反対である。

102　**解答**　(3)

解説　避難設備である誘導灯の設置が義務付けられているのは、給油取扱所に付帯して店舗・飲食店・展示場が設けられているもの、また一方開放の屋内給油取扱所のうち給油取扱所の敷地外へ直接通ずる避難口を設ける事務所等を有するものである。

103 解答 (1) ○ (2) × (3) ○ (4) ○ (5) ○

解説 貯蔵または取扱う危険物の品名・数量または指定数量の倍数を変更しようとする者は、変更しようとする日の10日前までに市町村長等に届け出なければならない。勝手に変更してはならない。

104 解答 (1) × (2) × (3) × (4) × (5) ○

(1) 10日に1回ではなく、1日1回以上が正しい。

(2) 1日1回以上ではなく、随時汲み上げるが正しい。

(3) 引火の危険を懸念するが、火気の使用は厳禁ではない。

(4) 保護液に保存するのは空気に触れないようにするためである。当然保護液から露出させてはならない。

105 解答 (1) × (2) ○ (3) ○ (4) ○ (5) ○

解説 類を異にする危険物の同一場所に置ける同時貯蔵は原則禁止されている。ただし、一定の危険物については類ごとにとりまとめて、1m以上の間隔を置けば、同時貯蔵が許される。

106 解答 (1) × (2) × (3) × (4) ○ (5) ×

解説 焼却する場合は、安全な場所で他に危害を及ぼさない方法で行い、必ず見張人をつける。

107 解答 (4)

解説 Dは不適当。単なる火災ではなく、危険度が高い火災であることを考えても、一般人を消火活動に従事させてはならない。

108 解答 (1) ○ (2) ○ (3) ○ (4) × (5) ○

解説 物品の販売等の業務は、原則として建築物の1階のみで行う。

109 解答 (1) ○ (2) ○ (3) × (4) ○ (5) ○

解説 引火点40℃未満の危険物を注入する場合は、移動タンク貯蔵所のエンジンを停止して行う。

110 解答 (1) ○ (2) ○ (3) × (4) ○ (5) ○

解説 運搬容器の材質は、鋼板・アルミニウム板・ブリキ板・プラスチック・ガラス等が定められている。

111 解答 (1) ○ (2) ○ (3) ○ (4) × (5) ○

解説 同一車両で異なった類の危険物を運搬する場合、混載可のものと混載禁止のものがある。

112 **解答** (1) ○ (2) ○ (3) × (4) ○ (5) ○

解説 運搬車両の場合には、危険物取扱者の同乗は義務付けられていない。同乗が義務付けられているのは、移動タンク貯蔵所つまりタンクローリーを使用する場合である。

113 **解答** (1) × (2) ○ (3) × (4) × (5) ×

（次表「混載禁止組み合わせの可、不可」参照）

(1) 危険物の品名と数量のみではなく、注意事項・危険等級、および化学名も表示しなければならない。

(3) 指定数量以上を運搬する場合は、消火設備を設置する。

(4) 混載できる。

(5) 液体の危険物は、内容積の98％以下の収納率とする。

◆混載禁止組み合わせの可、不可◆

	第1類	第2類	第3類	第4類	第5類	第6類
第1類		×	×	×	×	○
第2類	×		×	○	○	×
第3類	×	×		○	×	×
第4類	×	○	○		○	×
第5類	×	○	×	○		×
第6類	○	×	×	×	×	

（注）○印は混載可、×印は混載不可

114 **解答** (1) × (2) × (3) ○ (4) × (5) ×

解説 第4類危険物とその他の危険物の混載は、第1類または第6類との混載は禁止されていることを知ることがポイントである。

115 **解答** (1) ○ (2) × (3) × (4) × (5) ×

(2) 危険等級Ⅰ

(3) 危険等級Ⅰ

(4) 危険等級Ⅱ

(5) 危険等級Ⅱ

◆ 危険物の危険等級 ◆

危険等級	類別	品名等
Ⅰ	第１類	第１種酸化性固体の性状を有するもの
	第３類	カリウム・ナトリウム・アルキルアルミニウム・アルキルリチウム・黄りん・第１種自然発火性物質および禁水性物質の性状を有するもの
	第４類	特殊引火物
	第５類	第１種自己反応性物質の性状を有するもの
	第６類	全て
Ⅱ	第１類	第２種酸化性固体の性状を有するもの
	第２類	硫化りん・赤りん・硫黄・第１種可燃性固体の性状を有するもの
	第３類	第３類の危険物で危険等級Ⅰに掲げる危険物以外のもの
	第４類	第１石油類・アルコール類
	第５類	第５類の危険物で危険等級Ⅰに掲げる危険物以外のもの
Ⅲ	第1･2･4類	上記以外の危険物

116　**解答**　(1) ○　(2) ○　(3) ×　(4) ○　(5) ○

解説　連続して４時間、１日に９時間を超える移送は、２人以上で行わなければならない。

117　**解答**　(1) ○　(2) ○　(3) ○　(4) ○　(5) ×

解説　移動タンク貯蔵所による移送において、アルキルアルミニウム等を移送する場合以外は、必ずしも選択肢のような内容を届け出たり、携帯しなければならないわけではない。

118　**解答**　(1)

解説　完成検査済証を備え付けておけば最終の許可内容が確認できるので、設置許可証の備え付けは不要である。

119　**解答**　(1) ○　(2) ○　(3) ×　(4) ○　(5) ○

解説　これは、定期点検未実施なので、設置許可の取り消し、または期間を定めての使用停止命令を受けることがある。

120　**解答**　(2)

解説　基本的にはどの場合でも市町村長等と覚えておこう。

121 **解答** ⑴ ○　⑵ ○　⑶ ○　⑷ ×　⑸ ○

解説 危険物取扱者が免状返還命令を受けたことは、製造所等の使用停止命令には該当しない。「危険物取扱者に関する事項は、製造所等の許可の取消し、使用停止命令には該当しない」と覚えておこう。

122 **解答** ⑸

解説 予防規程の変更命令に違反した場合には、許可の取消しまたは使用停止命令には該当しない。⑸以外はすべて取り消しまたは使用停止命令に該当する。

123 **解答** ⑴ ×　⑵ ×　⑶ ×　⑷ ×　⑸ ○

解説 製造所等の法令違反に対する受命者はいかなるときも所有者・管理者・占有者である。

◆ 主な違反内容と罰則内容 ◆

違反内容	罰則内容
指定数量以上の危険物の無許可貯蔵・取扱い	1年以下の懲役または100万円以下の罰金
製造所等における危険物の貯蔵・取扱いの基準違反	3月以下の懲役または30万円以下の罰金
製造所等の無許可設置、位置・構造または設備の無許可変更	6月以下の懲役または50万円以下の罰金
製造所等の完成検査前使用	〃
製造所等の譲渡・引渡の届出義務違反	30万円以下の罰金または拘留
危険物の品名、数量または指定数量の倍数変更の届出義務違反	〃
製造所等の使用停止命令違反	6月以下の懲役または50万円以下の罰金
製造所等の緊急使用停止命令または処分違反	〃
製造所等の廃止の届出義務違反	30万円以下の罰金または拘留
危険物保安統括管理者の選解任届出義務違反	〃
危険物保安監督者の選任義務違反	6月以下の懲役または50万円以下の罰金
危険物保安監督者の選解任届出義務違反	30万円以下の罰金または拘留
製造所等における危険物取扱者以外の者の危険物の取扱い（甲種または乙種危険物取扱者の立会いがない場合）	6月以下の懲役または50万円以下の罰金
危険物取扱者免状返納命令違反	30万円以下の罰金または拘留

違反内容	罰則内容
予防規程の作成認可の規定違反（未作成時または作成もしくは変更の無認可時における危険物の貯蔵または取扱い）	6月以下の懲役または50万円以下の罰金
予防規程の変更命令違反	〃
保安検査受認義務違反	30万円以下の罰金または拘留
点検記録の作成及び保存の義務違反	〃
危険物の運搬基準違反	3月以下の懲役または30万円以下の罰金
危険物取扱者の無乗車による危険物の移送	〃
危険物取扱者免状携帯義務違反	30万円以下の罰金または拘留
製造所等の応急措置命令違反	6月以下の懲役または50万円以下の罰金
製造所等の立入・検査等の拒否、または資料提出命令等違反	30万円以下の罰金または拘留
移動タンク貯蔵所の停止命令等違反	〃
製造所等における危険物の流出等による火災危険の発生（故意）	3年以下の懲役または300万円以下の罰金
上記による致死傷	7年以下の懲役または500万円以下の罰金
製造所等における危険物の流出等による火災危険の発生（過失）	2年以下の懲役・禁錮または200万円以下の罰金
上記による致死傷	5年以下の懲役・禁錮または300万円以下の罰金

アミ□のある項目には両罰規定の適用がある。

第2章 基礎的な物理学および基礎的な化学

1 次の文のうち、誤っているものはどれか。１つ選びなさい。

(1) 物質には、気体・液体・固体の状態があり、これを物質の三態という。
(2) 物質は圧力や温度が変わると、気体から液体、液体から固体へ変化する。
(3) 気体・液体・固体の状態は、分子の集まり方によって起こる。
(4) 気体の温度が上がると分子の運動の速度が小さくなる。
(5) 気体の圧力は体積に反比例する。

2 物質の三態について誤っているものはどれか。1つ選びなさい。

(1) 固体と液体と気体の３つの状態を、物質の三態という。
(2) 液化とは固体が液体になることで、氷解ともいう。
(3) 固体が液体に変化することを融解という。
(4) 液体が気体に変化することを気化または蒸発という。
(5) 昇華とは、固体から気体または気体から固体に直接変化することをいう。

3 水に関する記述のうち、誤っているものはどれか。１つ選びなさい。

(1) 水の三態とは、水蒸気・水・氷の状態をいう。
(2) 100℃の水が水蒸気になるとき、１gにつき2256.3Ｊの気化熱を奪う。
(3) 水が消火に使われる理由の一つには、気化熱の大きいことが挙げられる。

(4)　水はどんな場合でも100℃で沸騰し、0℃で凍る。

(5)　水1gの温度を14.5℃から15.5℃に高めるのに必要な熱量は、4.186Jである。

4　**水の性質の説明として、誤っているものはどれか。1つ選びなさい。**

(1)　水の三態とは、氷・水・水蒸気である。

(2)　水を電気分解すると、酸素と水素を発生する。

(3)　水は4℃で体積が最小となり比重は最大となる。

(4)　水の気化熱は大きいことから、消火に使われる。

(5)　水が凝固して氷になるときは体積は増し、比重も増す。

5　**物質の状態変化と熱の出入について、正しいものを1つ選びなさい。**

(1)　昇華とは液体が気体に変わることをいい、熱を吸収する。

(2)　融解とは固体が液体に変わることをいい、熱を放出する。

(3)　凝縮とは気体が液体に変わることをいい、熱を吸収する。

(4)　融解とは液体が固体に変わることをいい、熱を放出する。

(5)　状態が変化するとき、吸収または放出される熱は、その物質の温度変化となって現れない。

6　**物質の状態変化を表す右図のうち、A～Eに該当することばの組み合わせで適当なものはどれか。正しいものを1つ選びなさい。**

	A	B	C	D	E
(1)	気化	昇華	凝縮	融解	凝固
(2)	気化	昇華	凝固	融解	凝縮
(3)	昇華	気化	融解	凝縮	凝固
(4)	昇華	気化	融解	凝固	凝縮
(5)	昇華	気化	凝縮	凝固	融解

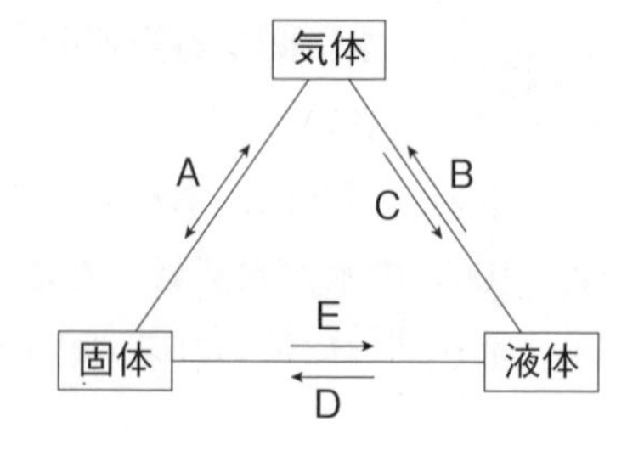

7

物理変化に該当するものはどれか。正しいものを１つ選びなさい。

(1) 鉄を空気中に放置したら赤さびができた。
(2) ドライアイスが溶けて二酸化炭素になった。
(3) 木炭が燃えて二酸化炭素が発生した。
(4) ガソリンを燃やしたら、二酸化炭素と水蒸気が発生した。
(5) 塩酸に亜鉛を加えたら水素が発生した。

8

融点－40℃、沸点60℃の物質がある。１気圧のもとで、－30℃および70℃の温度における物質の状態として、正しいものを１つ選びなさい。

	－30℃	70℃
(1)	液　体	固　体
(2)	固　体	液　体
(3)	固　体	気　体
(4)	液　体	気　体
(5)	液　体	液　体

9

熱膨張について、誤っているものはどれか。１つ選びなさい。

(1) 固体・液体・気体には熱膨張がある。
(2) 物体は温度が高くなるにつれてその体積を増し、密度は小さくなる。
(3) 固体の熱膨張には、線膨張と体膨張がある。
(4) 水は０℃で体積が最小となる。
(5) 気体の熱膨張は、液体または固体に比べてはるかに大きい。

10

沸騰と沸点に関する説明で、正しいものを１つ選びなさい。

(1) 水の沸点は、外気圧に関係なく常に100℃である。
(2) 水に塩を溶かすと、沸点は１気圧において100℃より低くなる。

(3)　外気圧を高くすると、同一液体の沸点は低くなる。
(4)　可燃性液体の沸点は、すべて100℃より低い。
(5)　沸騰は、ある液体の蒸気圧と大気圧が等しく、またはそれ以上になったときに起こる。

11　**次の気体のうち、最も比重の大きいものはどれか。ただし、原子量はC＝12、H＝1、O＝16とする。正しいものを1つ選びなさい。**

(1)　水素（H_2）
(2)　オゾン（O_3）
(3)　メタン（CH_4）
(4)　二酸化炭素（CO_2）
(5)　アセトアルデヒド（CH_3CHO）

12　**比重について、誤っているものはどれか。1つ選びなさい。**

(1)　氷の比重は、1より小さい。
(2)　水の比重は、4℃のときが最も大きく、1である。
(3)　ガソリンや灯油が水に浮かぶのは、どちらも非水溶性で、かつ比重が1より小さいことによる。
(4)　第4類の危険物の蒸気比重は、一般に1より小さい。
(5)　物質の蒸気比重は、分子量の大小で判断できる。

13　**次の気体のうち、最も比重の小さいものを選びなさい。ただし、原子量はC＝12、H＝1、O＝16とする。**

(1)　水素（H_2）
(2)　ベンゼン（C_6H_6）
(3)　一酸化炭素（CO）
(4)　メタン（CH_4）
(5)　エチルアルコール（C_2H_5OH）

14 熱に関するA～Dまでの記述のうち、正しいものの組み合わせはどれかを1つ選びなさい。

A　一般に液体の熱伝導率は、固体より小さく気体より大きい。

B　一般に熱伝導率の小さなものほど熱を伝えやすい。

C　一般に固体・液体・気体のうち、気体の熱伝導率が最も小さい。

D　水は他の液体に比べて、熱容量が小さい。

(1)　AとB　　(2)　AとCとD

(3)　CとD　　(4)　AとC

(5)　BとCとD

15 熱に関する説明で、誤っているものはどれか。1つ選びなさい。

(1)　一般に金属は、気体より熱伝導率が小さい。

(2)　1気圧において、1gの純水を14.5℃から15.5℃まで温度1℃上げるのに必要な熱量は4.186Jである。

(3)　金属の膨張の仕方には、長さの方向に伸びる線膨張と、体積が増加する体膨張の2種類がある。

(4)　物質1gの温度を1℃だけ上昇させるのに必要な熱量を、その物質の比熱という。

(5)　熱の移動の仕方には、伝導・対流・放射（ふく射）の3種類がある。

16 熱容量の説明について、正しいものを1つ選びなさい。

(1)　熱容量とは、物質1gの比熱のことである。

(2)　熱容量は、その物質の比重に比例する。

(3)　熱容量とは、物体に4.186Jの熱を加えたときの温度上昇率のことである。

(4)　熱容量とは、物体の温度を1℃だけ上昇させるのに必要な熱量である。

(5)　熱容量の大きい物体は、温まりやすく、冷めやすい。

17　比熱の説明として正しいものを１つ選びなさい。

⑴　比熱とは、物質１ｇの温度を１℃だけ上昇させるのに必要な熱量のことである。

⑵　比熱とは、物体が１℃上昇したとき発生する熱量のことである。

⑶　比熱とは、物体の温度を１℃上昇させるのに要する熱容量のことである。

⑷　比熱とは、物質に4.186 J の熱を加えたときの温度上昇の割合のことである。

⑸　比熱とは、水を１としたときの物質１ｇの温度を１℃上昇させるのに必要な熱量の割合のことである。

18　比熱（s）、質量（m）と熱容量（C）の関係式として、正しいものを１つ選びなさい。

⑴　$C=sm$　　⑵　$C=sm^2$

⑶　$C=sm^2-m$　　⑷　$C=s/m$

⑸　$C=m/s$

19　０℃の氷５ｇを10℃まで高めるのに要する熱量として、正しいものを１つ選びなさい。ただし、氷の融解熱を332 J／ｇ、水の比熱を4.19 J／ｇ・℃とし、小数点第１位を四捨五入とする。

⑴　542 J　　⑵　1,681 J

⑶　1,870 J　　⑷　16,810 J

⑸　69,554 J

20　20℃のナタネ油100ｇに、2,095 J の熱量を与えたとき、ナタネ油の温度は何度になるか。正しいものを１つ選びなさい。ただし、ナタネ油の比熱は、2.1 J／ｇ・℃とする。

⑴　22℃　　⑵　25℃　　⑶　30℃　　⑷　32℃　　⑸　42℃

21 熱の移動について、誤っているものはどれか。1つ選びなさい。

(1) 熱が物質中を伝わっていく現象を伝導という。
(2) 伝導の度合は物質によって異なり、この度合を表す数値を熱伝導率という。
(3) 熱伝導率は、固体・液体に比べて気体のほうが大きい。
(4) 対流とは、液体（気体）が温度差によって移動する現象をいう。
(5) 一般に、熱せられた物体が放射熱を出して他の物体に熱を与えることをふく射（放射）という。

22 10℃のとき1,000 ℓ のガソリンが、20℃になると約何 ℓ 増えるか。正しいものを1つ選びなさい。ただし、ガソリンの体膨張率は0.00135とする。

(1) 13.5 ℓ 増える
(2) 135 ℓ 増える
(3) 250 ℓ 増える
(4) 500 ℓ 増える
(5) 540 ℓ 増える

23 熱膨張について、誤っているものはどれか。1つ選びなさい。

(1) 物体は温度が高くなるにつれてその体積を増す。
(2) 水の体積は、約4℃において最小となる。
(3) 固体の体膨張率は、気体の体膨張率よりはるかに大きい。
(4) 熱膨張には、線膨張と体膨張の2つがある。
(5) 気体の膨張は、一定圧力のもとでは1℃上がるごとに、その気体が0℃において占める体積の約273分の1ずつ膨張する。

24 静電気に関する説明として、誤っているものはどれか。1つ選びなさい。

(1) 電気の不良導体を摩擦等すると静電気が発生する。
(2) 流体がホース内を流れるときに発生する静電気の量は、流速に比例する。
(3) 静電気は、湿度が低いほど発生しやすく、蓄積しやすい。
(4) 導電性が高い物質は、導電性が低い物質より静電気を発生しやすい。
(5) 静電気は、帯電量が多くなると放電火花を発することがある。

25 **危険物を取り扱うとき静電気が問題とされる理由として、正しいものを1つ選びなさい。**

(1) 感電事故があるため。
(2) 静電気によって電気分解が起こり、危険物が金属と反応するため。
(3) 危険物の温度が高くなり、発火点に達することがあるため。
(4) 危険物の温度が高くなり、蒸発しやすくなるため。
(5) 帯電量が多くなると、放電火花を発することがあるため。

26 **静電気災害を防止する対策として、誤っているものはどれか。1つ選びなさい。**

(1) 除電材を使用する。
(2) 危険物の流速を制限する。
(3) 接触する2つの物質を選択する。
(4) 静電気を逃がすための接地（アース）をする。
(5) 湿度を75%以下に低くし、乾燥させる。

27 **湿度について、誤っているものはどれか。1つ選びなさい。**

(1) 湿度とは、空気の乾湿の度合いをいう。
(2) 湿度には、絶対湿度・実効湿度・相対湿度の3つの表し方がある。
(3) 実効湿度とは、空気1㎥中に含まれる水蒸気の量をグラム数で表したものをいう。
(4) 相対湿度とは、空気に最大限含みうる水蒸気量の何パーセントに相当するのかを表したものをいう。

(5) 気温が上昇すると、飽和水蒸気量の値も増大する。

28 **湿度に関する記述で、誤っているものはどれか。1つ選びなさい。**

(1) 一般に用いられる湿度の表し方は、相対湿度である。

(2) 相対湿度の低いときは、火災の危険性が大きい。

(3) 過去の相対湿度を考慮に入れた湿度を実効湿度という。

(4) 相対湿度が高ければ高いほど、火災の危険性は小さい。

(5) 当日の相対湿度が高ければ、火災の発生、延焼危険は、実効湿度とは無関係である。

29 **物理変化および化学変化について、誤っているものはどれか。1つ選びなさい。**

(1) 一酸化炭素が酸化されて二酸化炭素を発生した。これは物理変化である。

(2) 鉄がぼろぼろにさびた。これは化学変化である。

(3) 空気を熱したら膨張した。これは物理変化である。

(4) 木炭が燃えて二酸化炭素を発生した。これは化学変化である。

(5) ドライアイスが昇華して二酸化炭素を発生した。これは物理変化である。

30 **物理変化であるものはどれか。正しいものを1つ選びなさい。**

(1) ガソリンを燃やすと二酸化炭素と水蒸気が発生する。

(2) 亜鉛版を希硫酸に浸すと水素が発生する。

(3) 砂糖を水に溶かして砂糖水をつくる。

(4) 水を電気分解して水素と酸素に分ける。

(5) 紙が濃硫酸にふれて黒くなる。

31 物理変化のみの組み合わせとして、正しいものはどれか。１つ選びなさい。

A　水に塩を加えたら溶けた。

B　アルコールが燃えて気体となった。

C　布が濃硫酸にふれて黒くなった。

D　暑い日にドライアイスを放置したら、白い煙状のものが出た。

E　ニクロム線に電流を通じたら赤くなった。

(1)　A，B，C　　(2)　A，D，E　　(3)　B，C，D

(4)　C，D，E　　(5)　D，E

32 化学変化のみの組み合わせはどれか。正しいものを１つ選びなさい。

(1)　中和　凝縮　昇華

(2)　気化　酸化　液化

(3)　潮解　風解　融解

(4)　分解　融解　燃焼

(5)　燃焼　分解　中和

33 化学変化に該当するものはいくつあるか。１つ選びなさい。

A　氷が溶けて水になる。

B　鉄がさびる。

C　水に砂糖を混ぜて砂糖水をつくる。

D　ガソリンが燃えて二酸化炭素と水蒸気が発生する。

E　塩酸に亜鉛を加えて水素を発生させる。

(1)　1つ　(2)　2つ　(3)　3つ　(4)　4つ　(5)　5つ

34 用語の説明について、誤っているものはどれか。１つ選びなさい。

(1)　単体とは、水素や酸素のように１種類の元素からできている純物質をいう。

(2) 化合物とは、水のように2種類以上の元素からなる純物質をいう。

(3) 混合物とは、複数の物質が互いに化学結合せずに混ざりあったものをいう。

(4) 同素体とは、ダイヤモンドと黒鉛のように同じ元素からできていて、性質が異なる2種類以上の単体をいう。

(5) 異性体とは、分子式と分子内の構造が同じで、性質が異なる物質をいう。

35 単体、化合物および混合物について、正しいものを1つ選びなさい。

(1) 水は酸素と水素の化合物である。

(2) 空気は酸素と窒素の化合物である。

(3) 酸素は単体であるが、オゾンは化合物である。

(4) エチルアルコールは、種々の炭化水素の混合物である。

(5) ナトリウムや亜鉛などは、2種類以上の元素からなる化合物である。

36 元素、化合物、混合物の組み合わせのうち混合物のみのものはどれか。正いものを1つ選びなさい。

(1) 硫黄、空気、トルエン

(2) アルコール、ガソリン、ベンゼン

(3) アルコール、水、アセトン

(4) ガソリン、空気、灯油

(5) ガラス、灯油、水素

37 元素、化合物および混合物の組み合わせとして、正しいものを1つ選びなさい。

	(元素)	(化合物)	(混合物)
(1)	窒素	ガソリン	コンクリート
(2)	銀	軽油	重油

(3)	エチルアルコール	硫酸	煙
(4)	炭素	海水	セルロイド
(5)	硫黄	アセトン	灯油

38 **「すべての気体は、同温・同圧において同体積内に同数の分子を含む」。この法則は次のうちどれか。正しいものを1つ選びなさい。**

(1) ボイルの法則　(2) アボガドロの法則
(3) シャルルの法則　(4) 倍数比例の法則
(5) 質量不変の法則

39 **「AおよびBの2種類以上の化合物をつくる場合、一定質量のA元素と化合するB元素の質量の比は簡単な整数比をなす」。この法則は次のうちどれか。正しいものを1つ選びなさい。**

(1) ボイル・シャルルの法則　(2) 定比例の法則
(3) ヘスの法則　(4) アボガドロの法則
(5) 倍数比例の法則

40 **反応熱の記述として、誤っているものはどれか。1つ選びなさい。**

(1) 熱の発生を伴う反応を、発熱反応という。
(2) 熱の吸収を伴う反応を、吸熱反応という。
(3) 反応熱の種類には、気化熱・融解熱・中和熱などがある。
(4) 化学反応式に反応熱を記入し、両辺を等号で結んだ式を、熱化学方程式という。
(5) 反応熱とは、化学反応に伴って1 molの反応物質が発生または吸収する熱量のことである。

41 **有機物質の燃焼について、正しいものを1つ選びなさい。**

(1) 燃焼中に発生する一酸化炭素に毒性はない。

(2) 不完全燃焼すると、二酸化炭素が発生する。

(3) 空気量が少ないほど、すすの発生が多い。

(4) ガスを燃焼させた場合は、すすの発生はない。

(5) 炭素の含有量が多いほど、すすの発生が多くなる。

42 **下記の熱化学方程式に関する記述のうち、誤っているものはどれか。1つ選びなさい。ただし、原子量は水素（H）1、酸素（O）16とする。**

$2H_2$(気)＋O_2(気)＝$2H_2O$(気)＋484kJ

(1) 水素4gと酸素32gとが反応して、水蒸気36gができる反応である。

(2) 水素4molと酸素2molが反応して、水蒸気6molができる反応である。

(3) この反応の結果生成した水蒸気が液体となるときは、一定量の熱が放出される。

(4) 水素が完全燃焼して水蒸気ができると、水素1molあたり242kJの発熱がある。

(5) 0℃、1気圧において、水素44.8ℓと酸素22.4ℓの混合気体に点火すると、44.8ℓの水蒸気が発生する。

43 **水素が完全燃焼するときの熱化学方程式は、次のとおりである。**

H_2(気)＋1／2 O_2(気)＝H_2O(液)＋286kJ

いま、発生した熱量が、572kJであったとすると、水素が完全燃焼するのに何グラムの酸素を要するか。正しいものを1つ選びなさい。ただし、酸素の分子量は32とする。

(1) 16g (2) 32g (3) 40g

(4) 48g (5) 64g

44 **化学変化に伴う反応熱の説明として、誤っているのはどれか。1つ選びなさい。**

(1) 燃焼熱とは、1molの物質が完全に燃焼するときの反応熱である。

(2) 生成熱とは、化合物1 molが成分元素の単体から生成するときの反応熱である。

(3) 分解熱とは、化合物1 molが成分元素に分解するときの反応熱または吸収する熱量である。

(4) 溶解熱とは、1 molの物質を多量の溶媒中に溶かすときの反応熱または吸収する熱量である。

(5) 中和熱とは、酸と塩基の中和で1 molの水が生成するときに吸収する熱量をいう。

45

酸と塩基について誤っているものはどれか。1つ選びなさい。

(1) 酸は、青色リトマス試験紙を赤変させる。

(2) 塩基は、赤色リトマス試験紙を青変させる。

(3) 酸と塩基から、塩と水のできる反応を中和という。

(4) 水溶液中では電離して、酸は水酸化物イオン（OH^-）を、塩基は水素イオン（H^+）を生ずる。

(5) 塩基のうち、とくに水に溶けるものをアルカリという。

46

次の水溶液のうち、酸性を示しているもので、かつ、中性に最も近いものはどれか。正しいものを1つ選びなさい。

(1) pH＝3.3の水溶液

(2) pH＝5.5の水溶液

(3) pH＝6.6の水溶液

(4) pH＝7.2の水溶液

(5) pH＝10.0の水溶液

47

酸化と還元について、誤っているものはどれか。1つ選びなさい。

(1) 物質が酸素と化合することを酸化という。

(2) 化合物が水素を失うことを酸化という。

(3) 物質が水素と化合することを還元という。

(4) 物質が電子と結合することを還元という。

(5) 酸化と還元は、同時に起こらない。

48 **酸化について、正しいものはどれか。1つ選びなさい。**

(1) 物質が他の物質と反応して塩と水を生じること。

(2) 物質が酸素と化合すること。

(3) 物質が酸素を失うこと。

(4) 物質が水素と化合すること。

(5) 物質が電子を獲得すること。

49 **地中に埋設された危険物の金属製配管を電気化学的腐食から守るために、配管に異種金属を接続する方法がある。配管が鋼製の場合、防食効果があるものの正しい組み合わせはどれか。**

A 鉛

B アルミニウム

C 亜鉛

D すず

E 銅

(1) AB (2) AC (3) BC

(4) AE (5) DE

50 **鋼製の危険物配管を地中に埋設する場合、最も腐食が起こりにくいものはどれか。1つ選びなさい。**

(1) 直流電気鉄道の軌道に近い土壌に埋設されているとき。

(2) 粘土層と砂層の土壌にまたがって埋設されているとき。

(3) コンクリート中と土壌中にまたがって埋設されているとき。

(4) エポキシ樹脂塗料で完全に被覆して土壌に埋設されているとき。

(5) 酸性溶液や海水を含んだ土壌に埋設されているとき。

51 有機化合物について、誤っているものはどれか。１つ選びなさい。

⑴　有機化合物は、一酸化炭素、二酸化炭素や炭酸塩などを除いた炭素化合物である。

⑵　有機化合物の構成元素は無機化合物に比べて少なく、主に炭素・水素・酸素・窒素である。

⑶　有機化合物は、一般に水に溶けにくいが有機溶剤によく溶ける。

⑷　有機化合物の多くは、空気中で燃えやすく分解しやすい。燃焼すると二酸化炭素と水蒸気を生成する。

⑸　有機化合物は、一般に不燃性である。

52 次の物質のうち、有機化合物はどれか。正しいものを１つ選びなさい。

⑴　硫黄

⑵　亜鉛

⑶　二硫化炭素

⑷　マグネシウム

⑸　灯油

53 次の文章の（　）内のＡ～Ｃに該当する語句の組み合わせとして、正しいものはどれか。１つ選びなさい。

「燃焼は（A）と（B）の発生を伴う（C）である。」

	A	B	C
⑴	熱	炎	酸化反応
⑵	熱	光	還元反応
⑶	熱	光	酸化反応
⑷	煙	熱	分解反応
⑸	炎	煙	分解反応

54 燃焼について、誤っているものはどれか。１つ選びなさい。

(1) 燃焼とは、熱と光の発生を伴う酸化反応をいう。
(2) 可燃物・酸素供給体・点火源を燃焼の３要素という。
(3) 燃焼の３要素に、燃焼の継続を加えて、燃焼の４要素ともいう。
(4) 熱伝導率の小さいものほど、燃えにくい。
(5) 可燃性液体の蒸気と空気の混合割合は、多すぎても少なすぎても燃焼しない。これを燃焼範囲という。

55 可燃性液体の燃焼の仕方として、正しいものはどれか。１つ選びなさい。

(1) 可燃性液体そのものが燃焼する。
(2) 可燃性液体は、物質中に酸素を含有しているので酸素がなくても燃焼する。
(3) 可燃性液体は、発火点以上にならないと燃焼しない。
(4) 液体の表面から中へと燃えて、静かに燃焼する。
(5) 液面から蒸発した可燃性蒸気が空気と混合したものが燃焼する。

56 可燃物が燃焼しやすい条件として、次の組み合わせのうち最も適当なものはどれか。１つ選びなさい。

	発熱量	酸化	酸素との接触面積
(1)	大	されにくい	小
(2)	大	されやすい	大
(3)	小	されにくい	大
(4)	小	されやすい	大
(5)	大	されにくい	小

57 燃焼の難易にあまり関係しない事項はどれか。正しいものを１つ選びなさい。

(1) 可燃物の周囲の温度。

⑵　可燃物と酸素との接触状況。
⑶　可燃物の比重。
⑷　可燃物の発熱量。
⑸　可燃物の乾燥度。

58 燃焼の説明として、誤っているものはどれか。１つ選びなさい。

⑴　気体の燃焼には、定常燃焼と非定常燃焼の２つがある。
⑵　可燃性液体は、液体そのものが燃えることから自己燃焼または内部燃焼という。
⑶　固体の燃焼には、表面燃焼・分解燃焼・蒸発燃焼の３つがある。
⑷　木炭やコークスなどの燃焼は、表面燃焼である。
⑸　ニトロセルロースなどの燃焼は、分解燃焼である。

59 次の物質のうち、可燃物でないものはどれか。１つ選びなさい。

⑴　一酸化炭素
⑵　窒素
⑶　硫化水素
⑷　硫黄
⑸　炭素

60 可燃物と燃焼の仕方との組み合わせとして、誤っているものはどれか。１つ選びなさい。

⑴　木材……………分解燃焼
⑵　コークス………表面燃焼
⑶　アルコール……蒸発燃焼
⑷　ガソリン………表面燃焼
⑸　硫黄……………蒸発燃焼

61 液体の燃焼に直接関係のないものはどれか。１つ選びなさい。

(1) 沸点　(2) 引火点
(3) 発火点　(4) 燃焼範囲
(5) 比重

62 次の物質のうち、蒸発燃焼するものはいくつあるか。１つ選びなさい。

水素、ベンゼン、木材、ナフタリン、ジエチルエーテル、ニトロセルロース

(1) 1つ　(2) 2つ　(3) 3つ　(4) 4つ　(5) 5つ

63 引火点についての説明で、正しいものを１つ選びなさい。

(1) 可燃性液体を燃焼させるのに必要な熱源の温度をいう。
(2) 可燃性液体が燃焼し始めるときの液体の温度をいう。
(3) 可燃物を空気中で加熱した場合、点火源がなくても自ら燃焼する最低温度をいう。
(4) 可燃性液体の液面付近の蒸気濃度が、燃焼範囲の下限値に達したときの液温をいう。
(5) 発火点と同じ意味であるが、表面燃焼・分解燃焼に対して発火点を用い、蒸発燃焼に対しては引火点を用いる。

64 ある可燃性液体の引火点が40℃であるとき、正しいものを１つ選びなさい。

(1) 気温が40℃になると自然発火する。
(2) 液温が40℃になると自然発火する。
(3) 液温が40℃になると蒸気を発生する。
(4) 気温が40℃になると、燃焼可能な濃度の蒸気を発生する。
(5) 液温が40℃になると、点火源を液面に近づけると発火する。

65 引火性液体を噴霧状にすると燃焼しやすくなる理由として、誤っているものはどれか。１つ選びなさい。

⑴ 空気とよく混ざり合うから。

⑵ 液の表面積が大きくなるから。

⑶ 蒸発作用が促進されるから。

⑷ 熱交換の効率がよくなるから。

⑸ 噴霧状にするときに生じる摩擦熱によって液温が上昇するから。

66 次の文章の（　）内のＡおよびＢに当てはまる語句の組み合わせとして、正しいのもを１つ選びなさい。

（A）とは、その可燃性液体が空気中で点火したとき燃え出すのに十分な濃度の蒸気を液面上に発生する最低の液温である。また、液面付近の蒸気濃度がちょうどその蒸気の（B）に達したときの液温がすなわち（A）である。

	A	B
⑴	燃焼点	燃焼範囲
⑵	発火点	燃焼上限値
⑶	引火点	燃焼下限値
⑷	発火点	燃焼範囲
⑸	引火点	燃焼温度

67 ある引火性液体の燃焼範囲の下限値が６％、上限値が36％のとき、正しいものを１つ選びなさい。

⑴ 液体の蒸気６ℓと空気94ℓの混合気体は、点火すれば燃焼する。

⑵ 液体の蒸気10ℓと空気90ℓの混合気体は、点火しても燃焼しない。

⑶ 液体の蒸気36ℓと空気64ℓの混合気体は、点火しても燃焼しない。

⑷ 液体の蒸気６ℓと空気100ℓの混合気体は、点火すれば燃焼する。

⑸ 液体の蒸気36ℓと空気36ℓの混合気体は、点火すれば燃焼する。

68 ある可燃性液体の引火点が45℃以上、燃焼範囲の下限値が1.0%、上限値が6.0%のとき、誤っているものはどれか。1つ選びなさい。

(1) 液温が45℃以上になると引火する。

(2) この液体の蒸気1ℓと空気99ℓの混合気体中で点火源を与えると燃焼する。

(3) 液温が45℃に達すると、液表面に生ずる可燃性蒸気の濃度は6.0%となる。

(4) 蒸気濃度が6.0%を超えると、点火源を与えても燃焼しない。

(5) 液温が45℃のとき、液表面に燃焼範囲の下限値濃度の蒸気が存在する。

69 次の文章のA～Cに当てはまる語句の組み合わせとして、正しいものを1つ選びなさい。

「物質が空気中で常温において自然に（A）して、その熱が長時間（B）されて（C）に達し、ついに燃焼を起こすにいたる現象を自然発火という。」

	A	B	C
(1)	吸熱	放出	引火点
(2)	吸熱	蓄積	発火点
(3)	発熱	放出	発火点
(4)	発熱	蓄積	発火点
(5)	発熱	蓄積	引火点

70 消火理論について、誤っているものはどれか。1つ選びなさい。

(1) 引火性液体の燃焼は、燃焼中の液体の温度を引火点未満に冷却すれば消火できる。

(2) 除去消火法とは、燃焼の3要素のうち、少なくとも2要素を取り去る方法である。

(3) 窒息消火法には、泡、ハロゲン化物、二酸化炭素または不燃性固体を用いる方法がある。

(4) 一般に、空気中の酸素濃度が14〜15%以下になれば、燃焼は自然に停止する。

(5) 泡消火剤には化学泡系と機械泡系の2種あるが、いずれも窒息効果がある。

71 消火理論について、誤っているものはどれか。1つ選びなさい。

(1) 液温を引火点以下にすれば可燃性蒸気の発生を抑制でき、消火できる。

(2) 混合気の濃度を燃焼範囲外にすれば消火できる。

(3) 燃焼の三要素のうちの可燃物、酸素供給体、熱源のどれか1つを取り去るだけでは消火できない。

(4) 一般に、酸素濃度を14〜15%以下にすれば燃焼継続が困難となり、消火できる。

(5) 爆風によって可燃性蒸気を吹き飛ばす方法で消火できることもある。

72 消火の方法とその消火効果の組み合わせとして、正しいものを1つ選びなさい。

(1) ガスの元栓をしめる……………………窒息効果

(2) アルコールに水を注ぐ…………………除去効果

(3) 水をかける………………………………窒息効果

(4) アルコールランプのふたをする……除去効果

(5) ロウソクの火を吹いて消す…………冷却効果

73 第4類危険物の火災に最も多く用いられる消火方法はどれか、正しいものを1つ選びなさい。

(1) 熱源を除去する方法。

(2) 可燃性液体と空気との接触を遮断する方法。

(3) 可燃性蒸気を除去する方法。

(4) 可燃性液体の温度を引火点未満に下げる方法。

(5) 可燃性液体を化学的に分解する方法。

74 水が消火剤として使用される際の長所または短所として、誤っているものを1つ選びなさい。

(1) 冷却作用の効果が大きい。
(2) 比熱・蒸発熱が小さい。
(3) 大規模な火災にも有効である。
(4) 水はいたる所にあり、安価である。
(5) 消火水による損害は極めて大きい。

75 消火剤として使用されないものはどれか。1つ選びなさい。

(1) 一酸化炭素　(2) 二酸化炭素
(3) 炭酸カリウム　(4) 硫酸アルミニウム
(5) 炭酸水素ナトリウム

76 消火方法として適当でないものはどれか。1つ選びなさい。

(1) 電気の火災に二酸化炭素消火器を使用する。
(2) ガソリンの火災に泡消火器を使用する。
(3) 灯油の火災に棒状の水を放射する消火器を使用する。
(4) 軽油の火災に霧状の強化液消火器を使用する。
(5) 重油の火災にハロゲン化物消火器を使用する。

77 消火器と主な消火効果との組み合わせで、誤っているものはどれか。1つ選びなさい。

(1) 水消火器…………………冷却・負触媒（抑制）効果
(2) 泡消火器…………………窒息・冷却効果
(3) ハロゲン化物消火器……窒息・負触媒（抑制）効果
(4) 二酸化炭素消火器………窒息・冷却効果

(5) 粉末消火器………………窒息・負触媒（抑制）効果

78 第4類危険物の火災に適応しない消火器はどれか。1つ選びなさい。

(1) 霧状の水を放射する消火器
(2) 霧状に放射する強化液消火器
(3) 泡を放射する消火器
(4) 二酸化炭素を放射する消火器
(5) 消火粉末を放射する消火器

79 火災と、その火災に適応する消火器との組み合わせとして、正しいものを1つ選びなさい。

(1) 電気火災……棒状の強化液を放射する消火器
(2) 電気火災……硫酸と炭酸水素ナトリウムを化合させて、棒状の水溶液を放射する消火器
(3) 油火災………霧状の強化液を放射する消火器
(4) 油火災………霧状の水を放射する消火器
(5) 普通火災……二酸化炭素を放射する消火器

80 消火剤と火災の適応性について、誤っているものはどれか。1つ選びないさい。

		(一般火災)	(油火災)	(電気火災)
(1)	霧状の炭酸カリウム	○	○	○
(2)	合成界面活性剤泡	○	○	○
(3)	ブロモトリフルオロメタン	×	○	○
(4)	二酸化炭素	×	○	○
(5)	炭酸水素塩類	×	○	○

81 消火器は、適応する火災を明らかにするために、本体に円形のマークを表示しているが、油火災のマークの色として正しいものを1つ選びなさい。

(1) 赤色　(2) 青色　(3) 黄色
(4) 白色　(5) 黒色

第2章 基礎的な物理学および基礎的な化学

解答・解説

1　解答　(1)　○　(2)　○　(3)　○　(4)　×　(5)　○

解説　気体は固体や液体に比べて、分子同士の結合が開放された状態なので、温度が上昇するにつれて分子運動がさらに大きくなる。

2　解答　(1)　○　(2)　×　(3)　○　(4)　○　(5)　○

解説　固体から液体に状態変化する物理用語は、融解である。

3　解答　(1)　○　(2)　○　(3)　○　(4)　×　(5)　○

解説　これは経験的にもよく知られていることである。水が100℃で沸騰し、0℃で凍るのは、1気圧のもとである。気圧が下がれば沸点も下がり、気圧が上がれば沸点は上がる。

4　解答　(1)　○　(2)　○　(3)　○　(4)　○　(5)　×

解説　水が氷になると比重は小さくなる。物質の体積が増せば比重は小さくなるので、体積が増した氷は水より比重が小さく、結果として氷は水に浮かぶ。

5　解答　(1)　×　(2)　×　(3)　×　(4)　×　(5)　○

(1)　は昇華ではなく、気化。

(2)　は放出ではなく、吸収。

(3)　は吸収ではなく、放出。

(4)　は融解ではなく、凝固。

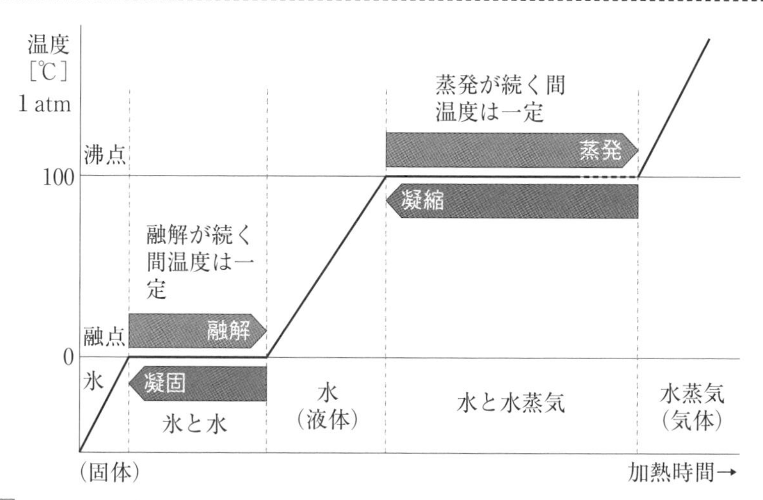

6 **解答** (5) (次ページ上図「熱と三態変化の関係」参照)

解説 気化と昇華を混同しないこと。昇華は固体から気体に状態変化する場合のみではなく、気体から固体に状態変化する場合もふくむ。

7 **解答** (1) × (2) ○ (3) × (4) × (5) ×

解説 (2)以外はすべて化学変化である。物理変化は、物質そのものの化学的成分は変化せず状態のみ変化すること。化学変化は、まったく性質の異なる物質に変化することをいう。

8 **解答** (1) × (2) × (3) × (4) ○ (5) ×

解説 この物質を三態に区分すると、固体〜－40℃で液体〜60℃で気体となる。

9 **解答** (1) ○ (2) ○ (3) ○ (4) × (5) ○

(次ページ下「水の温度と体積の関係」参照)

解説 水の液比重は、4℃のとき最大の1になる。体積と比重は相対的関係にあることから、体積が最小のときに密度は最大になることが分かる。

◆ 熱と三態変化の関係 ◆

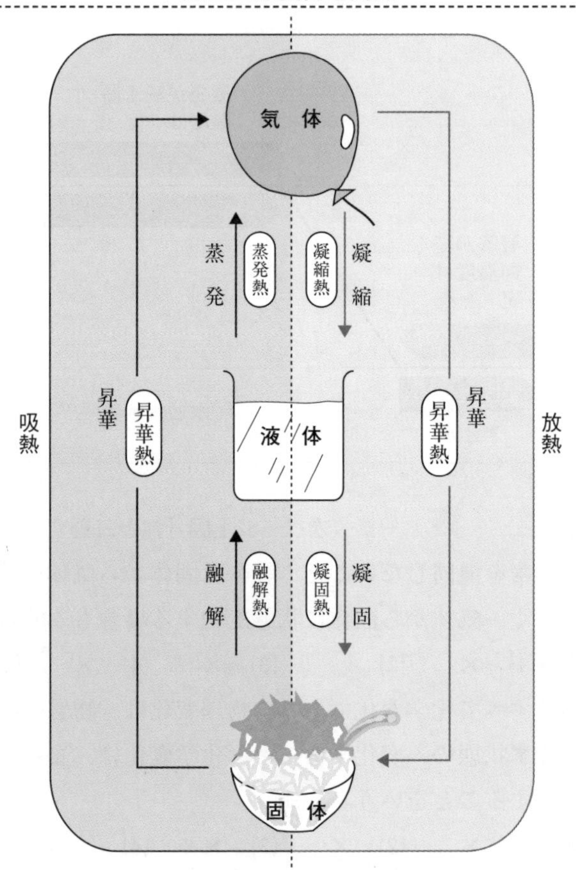

◆ 水の温度と体積の関係 ◆

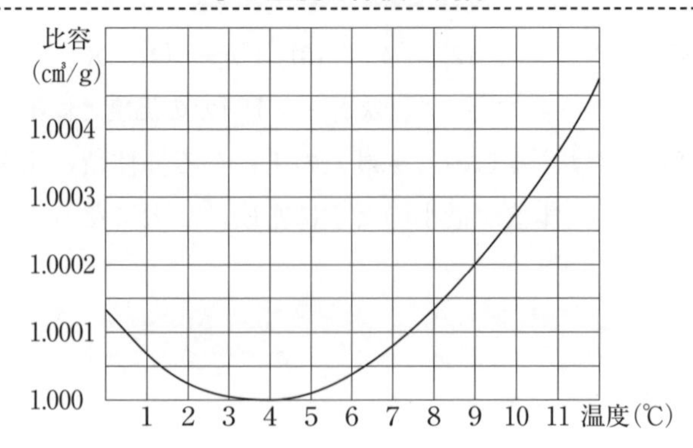

10 **解答** (1) × (2) × (3) × (4) × (5) ○

(1) 沸点は加圧すると高くなり、減圧すると低くなる。

(2) 沸点は100℃以上になる。

(3) 沸点は加圧すると高くなり、減圧すると低くなる。

(4) 沸点が100℃以上の可燃性液体は多数ある。例えば、灯油の沸点は150～300℃である。

解説 (2)の塩などの不揮発性の物質を溶かした水溶液の沸点は、水の沸点より高くなる。このような現象を沸点上昇という。

11 **解答** (1) × (2) ○ (3) × (4) × (5) ×

解説 1mol当たりのそれぞれの質量は、(1) 1×2＝2g、(2)16×3＝48g、(3)12＋1×4＝16g、(4)12＋16×2＝44g、(5)12＋1×3＋12＋1＋16＝44gとなる。

12 **解答** (1) ○ (2) ○ (3) ○ (4) × (5) ○

解説 比重には液比重と蒸気比重があることをよく理解する必要がある。第4類危険物中で、蒸気比重が最小の物品はメチルアルコールで1.1である。他の物品の多くは空気より重い、つまり蒸気比重は1より大きい。

13 **解答** (1)

解説 1mol当たりの質量は水素が最も小さい。

14 **解答** (1) × (2) × (3) × (4) ○ (5) ×

解説 B熱伝導率の大きいものほど熱をよく伝える。D水の熱容量は他の液体に比べて大きい。また、熱伝導率の大小は、一般に、金属＞固体＞液体＞気体の順である。

◆主な物質の比熱◆

物質	比熱 (J/(g·℃))
アルミニウム(0℃)	0.877
鉄(0℃)	0.437
銅(20℃)	0.380
木材(20℃)	約1.25
氷(－160℃)	1.0
コンクリート(室温)	約0.84
水(15℃)	4.186
海水(17℃)	3.93

15 解答 (1) × (2) ○ (3) ○ (4) ○ (5) ○

解説 これは前問と同じで、熱伝導率の大小は、一般に、金属＞固体＞液体＞気体の順である。

16 解答 (1) × (2) × (3) × (4) ○ (5) ×

解説 熱容量とは、(4)のとおりで、物体の温度を1℃だけ上昇させるのに必要な熱量をいう。物質ではなく物体であることに留意する。

17 解答 (1) ○ (2) × (3) × (4) × (5) ×

解説 選択肢(1)が比熱の定義そのものである。

18 解答 (1) ○ (2) × (3) × (4) × (5) ×

解説 計算式は以下のとおり。熱容量＝比熱×質量

19 解答 (3)

解説 計算式は以下のとおり。熱量＝比熱×質量×温度差。ただし、氷の融解熱もプラスされることに注意する。したがって、この場合の熱量の計算は、

熱量＝（氷の融解熱×氷の質量）＋比熱×質量×温度差

となる。計算すると、

熱量＝332 J／g × 5 g ＋4.19 J／g・℃ × 5 g ×(10℃ － 0 ℃)

＝1,869.5 J　四捨五入して1,870 J となる。

20 解答 (3)

解説 温度差を x とすると、

2.1 J／g・℃ ×100 g × x ＝2,095 J

x ≒ 10（℃）

このことから、ナタネ油は約10℃上昇するので、

20℃＋10℃＝30℃

となる。

21 解答 (1) ○ (2) ○ (3) × (4) ○ (5) ○

解説 物質三態の中で、最も熱伝導率が小さいのは気体である。熱伝導率の大きい順に並べると、以下のようになる。

固体＞液体＞気体

22 解答 (1)

解説 求めるガソリンの体積をVとし、元の体積をV_0、体膨張率をβ、温度差をtとした場合、$V = V_0 \times (\beta t)$の式にそれぞれ代入して計算すればよい。

$$V = V_0 \times (\beta t)$$

$$V = 1{,}000\,\ell \times (0.00135 \times 10)$$

$$= 13.5\,\ell$$

となる。

23 解答 (1) ○ (2) ○ (3) × (4) ○ (5) ○

解説 気体の膨張率は、固体の膨張率よりはるかに大きい。基本的に、体膨張率は線膨張率の3倍である。線は長さのみなのに比べて、物体は幅も高さもある、つまり体積であることを考えれば当然のことである。

24 解答 (1) ○ (2) ○ (3) ○ (4) × (5) ○

解説 導電性が高い物質は、導電性が低い物質より静電気を発生・蓄積しにくい。

25 解答 (1) × (2) × (3) × (4) × (5) ○

(1) 感電することは確かにあるが、ここでは火災等の災害事故が問題とされている。

(2) 静電気で電気分解が起こることはない。

(3) 静電気のために危険物が発火点に達することはない。

(4) 静電気で危険物の液温が上昇することはない。

解説 静電気の危険は、火花放電等による点火源となる恐れがあることである。

26 解答 (1) ○ (2) ○ (3) ○ (4) ○ (5) ×

解説 静電気は摩擦電気であることから、乾燥しているほど発生しやすい。また、静電気は物体の表面を伝って流れるので、湿度を高く保つことによって、物体の表面の湿気を通して大地に流れる割合が高くなり、自然と蓄積を防止できる。理想的な湿度は、約75％以上とされている。

27 解答 (1) ○ (2) ○ (3) × (4) ○ (5) ○

解説 実効湿度とは、当日の相対湿度とは異なり、前日以前の過去に吸湿した湿気の影響を考慮に入れた具体的な物体の実質的な湿度。

28 解答 (1) ○ (2) ○ (3) ○ (4) ○ (5) ×

解説 火災の発生や延焼危険には、実効湿度が大きく関わってくる。前問同様、物体が過去に吸収し保持している湿度も考慮に入っている。

29 解答 (1) × (2) ○ (3) ○ (4) ○ (5) ○

解説 物理変化とは、その物質の形状が変わるだけの変化で、化学的成分の変化ではない。反対に、化学変化とは文字通り物質の組成が変わり、物質としての性質も変化する現象である。

30 解答 (1) × (2) × (3) ○ (4) × (5) ×

解説 (1)(2)(4)(5)は化学変化である。(3)砂糖水は、水と砂糖が混合しているだけである。物理変化は、物質そのものの化学的成分は変化せず状態のみ変化する現象である。また化学変化は、まったく性質の異なる物質に変化する現象である。

31 解答 (1) × (2) ○ (3) × (4) × (5) ×

解説 Ａは物理変化、Ｂは化学変化、Ｃは化学変化、Ｄは物理変化、Ｅは物理変化。

32 解答 (1) × (2) × (3) × (4) × (5) ○

解説 化学変化の種類には、以下の５通りがある。

①化合(A＋B→AB)、②分解(AB→A＋B)、③置換(AB＋C→AC＋B)

④複分解(AB＋CD→AD＋CB)、⑤重合(AB→ABABAB……)。また、別の見方をすれば、燃焼・分解・中和・酸化でもある。

33 解答 (3)

解説 Ｂ・Ｄ・Ｅは化学変化である。氷が溶けて水になるのも、水に砂糖が溶けるのも物理変化である。

34 解答 (1) ○ (2) ○ (3) ○ (4) ○ (5) ×

解説 異性体とは、分子式が同じでも、分子内の構造が異なるために性質が異なる物質をいう。異性体には構造異性体と立体異性体などがある。

35 解答 (1) ○ (2) × (3) × (4) × (5) ×

(2) 空気は、酸素と窒素等の混合物である。

(3) オゾンは、酸素の同素体である。

(4) エチルアルコールは、異性体である。

(5) ナトリウムや亜鉛は、Na, Znなので単体である。

◆物質の化学的分類◆

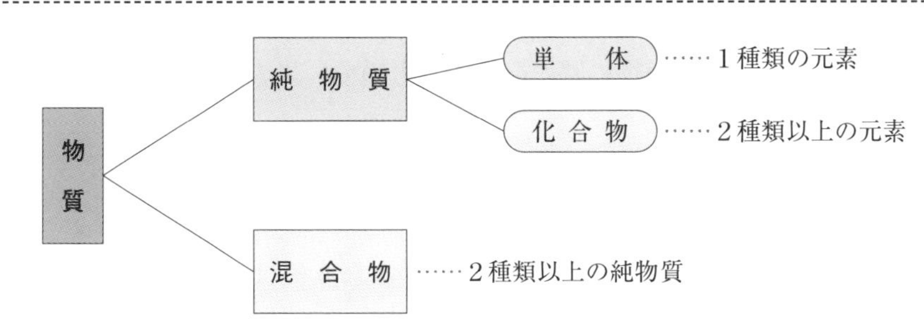

36 **解答** (4)

解説 ここでの混合物は、ガソリン・空気・軽油・灯油・ガラスである。

37 **解答** (5)

解説 元素は、窒素・銀・炭素・硫黄。化合物は、エチルアルコール・硫酸・アセトン。混合物は、ガソリン・コンクリート・軽油・重油・煙・海水・セルロイド・灯油である。

38 **解答** (2)

解説 気体が同温・同圧のもとで同体積内にふくむ分子数は、6.02×10の23乗個である。

39 **解答** (5)

解説 倍数比例の法則とは「同じ元素、例えば炭素と酸素が化合して2種類以上の化合物を生成するとき、一方の元素の一定量と化合する他方の元素の質量は、簡単な整数比となる」。

例）一酸化炭素と二酸化炭素の場合

$$CO : CO_2 = \frac{16}{12} : \frac{32}{12} = 1 : 2$$

40 **解答** (1) ○　(2) ○　(3) ×　(4) ○　(5) ○

解説 反応熱の種類は、以下のとおりである。①燃焼熱、②生成熱、③分解熱、④溶解熱、⑤中和熱

41　**解答**　(1) ×　(2) ×　(3) ○　(4) ×　(5) ×

(1)　一酸化炭素には中毒症状が示すように毒性がある。

(2)　不完全燃焼で生じるのは一酸化炭素である。

(4)　ガスは天然ガスでもプロパンガスでも、燃焼時にはすすが発生する。

(5)　すすは不完全燃焼の時に発生するもので、炭素の含有量とは直接関係はない。

解説　不完全燃焼は、酸素の量が不足したときに起こる。

42　**解答**　(1) ○　(2) ×　(3) ○　(4) ○　(5) ○

解説　設問の熱化学方程式から、発生する水蒸気は2 mol（H_2Oが2倍）であることから、22.4 ℓ × 2 =44.8 ℓ となる。

43　**解答**　(2)

解説　設問の熱化学方程式は水素1 molの燃焼を表している。発生した熱量を572kJにするには、与式全体を2倍すればよいことになるので、水素は2 mol、酸素は1 molの反応となる。その結果、酸素は1 mol = O_2 = 32(g)となる。

44　**解答**　(1) ○　(2) ○　(3) ○　(4) ○　(5) ×

解説　中和熱とは、水溶液中で酸と塩基を各1 molづつ反応させたときに生成される熱量である。

45　**解答**　(1) ○　(2) ○　(3) ○　(4) ×　(5) ○

解説　水溶液中で発生するのは、酸からは水素イオン（H^+）、塩基からは水酸化物イオン（OH^-）である。

46　**解答**　(3)

解説　設問の条件から、pH 0 ～ 7までの間でかつ中性のpH 7にいちばん近い数値ということになる。

◆ pH値と酸性・中性・塩基性の関係 ◆

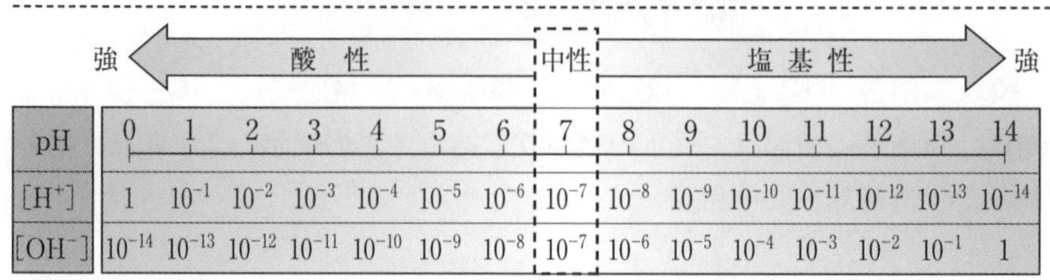

pH	0	1	2	3	4	5	6	7	8	9	10	11	12	13	14
$[H^+]$	1	10^{-1}	10^{-2}	10^{-3}	10^{-4}	10^{-5}	10^{-6}	10^{-7}	10^{-8}	10^{-9}	10^{-10}	10^{-11}	10^{-12}	10^{-13}	10^{-14}
$[OH^-]$	10^{-14}	10^{-13}	10^{-12}	10^{-11}	10^{-10}	10^{-9}	10^{-8}	10^{-7}	10^{-6}	10^{-5}	10^{-4}	10^{-3}	10^{-2}	10^{-1}	1

47 　解答　(1) ○　(2) ○　(3) ○　(4) ○　(5) ×

解説　化学反応では、一方が酸化されれば必ず他方に還元が起こっている。酸化だけ、還元だけが起こっているということはありえない。

例)　炭が燃えて二酸化炭素になる。

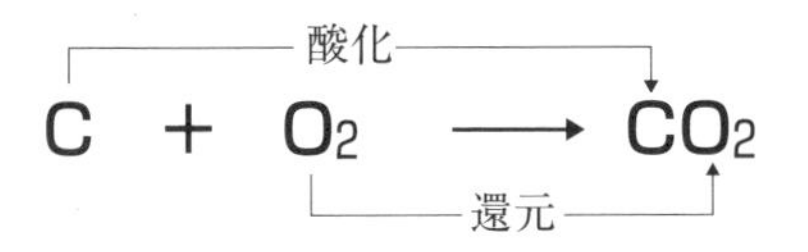

48 　解答　(1) ×　(2) ○　(3) ×　(4) ×　(5) ×

(1) 塩と水が生じる反応は中和である。

(3) 物質が酸素を失うのは還元である。

(4) 物質が水素と化合するのは、還元である。

(5) 物質が電子を獲得するのは、還元である。

解説　酸化と還元の一般定義は、以下のとおりである。

① 酸化……酸素と化合する。水素を失う。電子を失う。

② 還元……酸素を失う。水素と化合する。電子と結合する。

49 　解答　(3)

解説　金属配管が鋼製である場合、腐食を防止する効果があるのは、鉄よりイオン化傾向の大きいアルミニウムと亜鉛である。

50 　解答　(1) ×　(2) ×　(3) ×　(4) ○　(5) ×

解説　(1)直流電気鉄道の軌道に近い土壌に埋設すると腐食しやすくなる。(2)(3)土質の異なる場所にまたがって埋設すると腐食しやすくなる。(5)酸性溶液・海水に接触すると腐食しやすくなる。

51 　解答　(1) ○　(2) ○　(3) ○　(4) ○　(5) ×

解説　二硫化炭素を除いて、第4類危険物は有機化合物でかつ可燃性であることからも判断できる。

52 　解答　(1) ×　(2) ×　(3) ×　(4) ×　(5) ○

解説　硫黄(S)・亜鉛(Zn)・二硫化炭素(CS_2)・マグネシウム(Mg)は無機化合物である。二硫化炭素を除いて、第4類危険物は有機化合物であると覚えておくとよい。したがって、灯油やガソリン、軽油も重油もアルコールも有機化合物である。

53　解答　(3)

解説　設問の記述は、燃焼の定義である。燃焼は酸化反応の一つであることを覚えておくことが大事である。

54　解答　(1)　○　(2)　○　(3)　○　(4)　×　(5)　○

解説　物自体が燃えるためには、発火点に達する温度が必要である。したがって、熱伝導率が大きければ熱は放出されやすく、反対に熱伝導率が小さいほど熱が蓄えられて高温度が得られる。

55　解答　(1)　×　(2)　×　(3)　×　(4)　×　(5)　○

解説　第4類の引火性液体はもちろんだが、可燃性液体の燃焼は蒸発燃焼である。

56　解答　(2)

解説　発熱量が大きく、酸化されやすく、酸素との接触面積が大きいほど燃焼しやすい。

57　解答　(3)

解説　比重は燃焼自体にはあまり関係がない。ただし、消火方法には大いに関係してくる。

58　解答　(2)

解説　可燃性液体の燃焼は蒸発燃焼である。

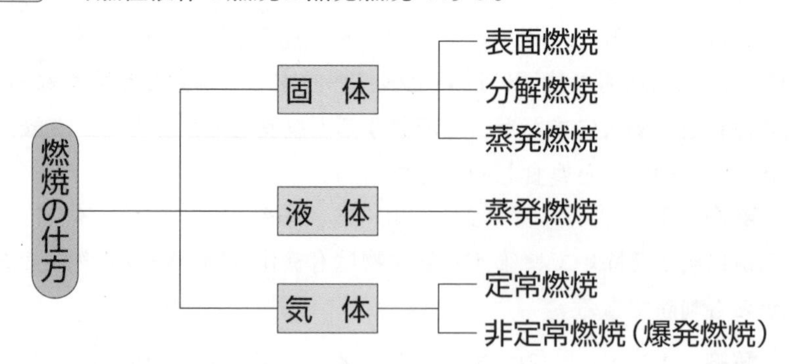

59　解答　(2)

解説　窒素は不燃物である。

60　解答　(4)

解説 可燃性液体の燃焼はすべて蒸発燃焼である。それぞれの燃焼の仕方は以下のとおりである。

① 表面燃焼……固体の表面から中へと向かって燃えていく燃焼の仕方で、固体表面では熱分解や蒸発を起こすことなく静かに燃える。
例）コークス、木炭など

② 分解燃焼……可燃性固体が加熱によって分解を起こし、その可燃性ガスが燃える。例）木材、石炭など

③ 蒸発燃焼……固体を熱したとき、液体に状態変化することなしに、そのまま蒸発（昇華）してその蒸気が燃える。例）硫黄、ナフタリンなど

④ 定常燃焼……ガスコンロやライターのように、筆先のような形状に燃える。

⑤ 非定常燃焼……可燃性気体と空気の混合気体が、エンジンのシリンダー内のように、密閉容器中で点火されたときなどに起こる燃焼。

61 解答 (5)

解説 比重は、直接的には燃焼には関わりがない。ただし、消火方法や保存の仕方等には関わりがある。

62 解答 (3)

解説 水素は気体なのでどれにも当てはまらない。ベンゼンは蒸発燃焼。木材は分解燃焼。ナフタリンは固体だが蒸発燃焼。ジエチルエーテルは蒸発燃焼。ニトロセルロースは内部（自己）燃焼による分解燃焼。

63 解答 (1) × (2) × (3) × (4) ○ (5) ×

(1) 引火点とは熱源の温度ではない。

(2) は引火点には無関係。

(3) は発火点の概要を述べている。

(5) 発火点とは(3)の温度をいい、引火点とは(4)の温度をいう。

64 解答 (1) × (2) × (3) × (4) × (5) ○

(1) 気温が40℃になっても、火源なしに燃焼することはない。自己燃焼する温度は、発火点である。

(2) 自然発火とは、火源なしに自己燃焼することである。

(3) 液温が40℃にならなくとも蒸発は起こっている。

(4) 気温が40℃になっても、液温が40℃にならなければ燃焼可能な蒸気は発生しない。

65 **解答** (1) ○ (2) ○ (3) ○ (4) ○ (5) ×

解説 噴霧状にすると燃えやすくなるのは、酸素との混合気となることによる。

66 **解答** (3)

解説 引火が起こり得る空気との混合蒸気の濃度範囲を燃焼範囲という。この範囲の最小値が燃焼下限値であり、最大値が燃焼上限値である。

67 **解答** (1) ○ (2) × (3) × (4) × (5) ×

(2) 燃焼する。

(3) 燃焼する。

(4) 燃焼しない。

(5) 燃焼しない。

解説 設問の燃焼範囲が6～36％ということは、全体を100としたときの可燃性蒸気の割合が6～36％という意味である。したがって、それ以下でもそれ以上でも燃焼は起こらない。

68 **解答** (1) ○ (2) ○ (3) × (4) ○ (5) ○

解説 引火点が45℃、燃焼範囲の下限値が1.0％ということは、液温が45℃になると液表面に燃焼範囲の下限値である可燃性蒸気が1.0％発生するという意味である。さらにそのまま温度上昇が続けば、やがては燃焼範囲の上限値である6.0％に達することになる。

69 **解答** (1) × (2) × (3) × (4) ○ (5) ×

解説 自然発火と引火を混同しないこと。自然発火は熱源がなくとも燃えだすことである。

70 **解答** (1) ○ (2) × (3) ○ (4) ○ (5) ○

解説 消火するには、燃焼の3要素のうち1つを取り除けばよい。燃焼の3要素は、①可燃性物質、②酸素供給体、③熱源である。

71 **解答** (1) ○ (2) ○ (3) × (4) ○ (5) ○

解説 消火するには、燃焼の3要素のうち1つを取り除けばよい。燃焼の

3要素は、①可燃性物質、②酸素供給体、③熱源である。空気中の酸素濃度が薄くなって、自然に鎮火する限界値を限界酸素濃度といい、一般には14～15%以下とされている。

72 解答 (1) × (2) ○ (3) × (4) × (5) ×

(1) は除去効果が正しい。

(3) は冷却効果が正しい。

(4) は窒息効果が正しい。

(5) は除去効果が正しい。

解説 (2)は希釈消火法といい、原理的には可燃性蒸気の除去による消火法とされている。

73 解答 (1) × (2) ○ (3) × (4) × (5) ×

解説 第4類危険物の消火は、窒息消火が原則である。

74 解答 (1) ○ (2) × (3) ○ (4) ○ (5) ○

解説 水は比熱・気化熱が大きく、結果として冷却効果がある。

75 解答 (1)

解説 一酸化炭素は不完全燃焼したときに発生する気体である。したがって、まだ酸化つまり燃焼の要素のある気体である。一酸化炭素は酸化して二酸化炭素になったときに不燃物となる。

76 解答 (3)

解説 第4類の危険物火災には、単なる水を放射するのは厳禁である。ただし、水でも第3種の水噴霧設備装置としては適合である。

77 解答 (1) × (2) ○ (3) ○ (4) ○ (5) ○

解説 水消火器は、冷却効果のみである。

78 解答 (1)

解説 基本的に、第4類危険物の火災には水は不適合である。それは棒状放射はもちろんのこと霧状放射でも不適合である。ただし、水でも第3種の水噴霧設備装置としては適合である。

79 解答 (1) × (2) × (3) ○ (4) × (5) ×

(117ページ表「消火器の区分と主な消火効果」参照)

解説 電気火災には水や泡消火器は感電のおそれがあることから不適合で

ある。

80 **解答** (1) ○　(2) ×　(3) ○　(4) ○　(5) ○

解説　水系消火剤は、基本的に電気火災には不適合である。その訳は、感電事故を招く恐れがあるからである。(1)は、霧状であれば油・電気火災もOKである。

81 **解答** (1) ×　(2) ×　(3) ○　(4) ×　(5) ×

解説　消火器に表示される適応火災マークは、①普通火災は白色、②油火災は黄色、③電気火災は青色である。

◆ 消火器の区分と主な消火効果 ◆

消火器の区分		消火器の種類	消火剤の主成分	圧力方式	適応火災※	主な消火効果
水を放射する消火器		水消火器	水	蓄圧式 手動ポンプ式 ガス加圧式	A、(C)	冷却作用
		酸・ アルカリ消火器	炭酸水素ナトリウム 硫酸	反応式	A、(C)	冷却作用
強化液を放射する消火器		強化液消火器	炭酸カリウム	蓄圧式 反応式 ガス加圧式	A、(B、C)	冷却作用 (抑制作用)※
泡を放射する消火器		化学泡消火器	炭酸水素ナトリウム 硫酸アルミニウム	反応式	A、B	窒息作用 冷却作用
		機械泡消火器	合成界面活性剤泡または水成膜泡	蓄圧式 ガス加圧式		
ハロゲン化物を放射する消火器		ハロン1211消火器	ブロモクロロジフルオロメタン	蓄圧式	B、C	窒息作用 抑制作用
		ハロン1301消火器	ブロモトリフルオロメタン			
		ハロン2402消火器	ジブロモテトラフルオロエタン			
二酸化炭素を放射する消火器		二酸化炭素消火器	二酸化炭素	蓄圧式	B、C	窒息作用 冷却作用
消火粉末を放射する消火器	りん酸塩類等を使用するもの	粉末（ABC）消火器	りん酸アンモニウム	蓄圧式 ガス加圧式	A、B、C	窒息作用 抑制作用
	炭酸水素塩類等を使用するもの	粉末（K）（Ku）消火器	炭酸水素カリウムまたは炭酸水素カリウムと尿素の反応生成物	蓄圧式 ガス加圧式	B、C	窒息作用 抑制作用
	その他	粉末（Na）消火器	炭酸水素ナトリウム			

※　A：普通火災　B：油火災　C：電気火災　（　）内は、霧状に放射する場合

（注）(1) 蓄圧式とは、常時、本体容器内に消火薬剤と圧縮空気または窒素ガスを蓄圧しているもので、原則として指示圧力計が取り付けられているものをいい、加圧式とは、使用にあたり本体容器内の消火薬剤を加圧するものをいう。

(2) ハロン1301及び二酸化炭素は、液化ガスとして本体容器内に充てんされ、消火薬剤自体の蒸気圧（ハロン1301は窒素ガスで加圧したものである。）で放射されるもので、構造は蓄圧式と同様であるが、指示圧力計はつけない。

(3) ハロン1211は窒素ガスで加圧し、指示圧力計をつけている。

第3章 危険物の性質・火災予防・消火方法

1 危険物の性状として、誤っているものはどれか。1つ選びなさい。

(1) 単体、化合物、混合物の3種類がある。
(2) 不燃性の液体および固体がある。
(3) 水と接触すると発火したり、可燃性蒸気を発生するものもある。
(4) 同一物質であっても、形状等によって危険物にならないものもある。
(5) 液体危険物の比重はすべて1より小さく水に浮かぶが、固体危険物の比重はすべて1より大きく水に沈む。

2 危険物の類ごとの性状について、誤っているものはどれか。1つ選びなさい。

(1) 第1類――酸化性の固体である。
(2) 第2類――可燃性の固体である。
(3) 第4類――引火性の液体または可燃性の気体である。
(4) 第5類――自己反応性の液体または固体である。
(5) 第6類――酸化性の液体である。

3 危険物の類ごとの性状について、誤っているものはどれか。1つ選びなさい。

(1) 第1類の危険物は、自らは燃えないが、多量の酸素を含む固体である。
(2) 第2類の危険物は、比較的低温で引火しやすい可燃性の固体である。
(3) 第3類の危険物は、禁水性の固体のみである。
(4) 第5類の危険物は、加熱・衝撃・摩擦などによって発火する自己反応性の固体または液体である。

(5) 第6類の危険物は、自らは燃えないが多量の酸素を含む酸化性の液体である。

4 **危険物の類ごとに共通する危険性として、誤っているものはどれか。1つ選びなさい。**

(1) 第1類の危険物……酸化力の潜在的な危険性と衝撃に対する敏感性。
(2) 第2類の危険物……火炎による着火の危険性と引火の危険性。
(3) 第4類の危険物……引火による危険性。
(4) 第5類の危険物……爆発の危険性と加熱分解の激しさ。
(5) 第6類の危険物……酸化力の潜在的な可能性と自然発火の危険性。

5 **第4類の危険物の性質・性状について、正しいものを1つ選びなさい。**

(1) 固体であって酸化性の性質をもち、そのもの自体は燃焼しない。
(2) 固体または液体であって自然発火性で水と反応して発火する。
(3) 液体であって引火性を有する。
(4) 固体または液体であって自己反応性を有する物質である。
(5) 液体であって酸化性の性質をもち、そのもの自体は燃焼しない。

6 **第4類の危険物の性質として、誤っているものはどれか。1つ選びなさい。**

(1) 引火点が−40℃より低いものもある。
(2) 液比重は1より小さく、水に溶けないものが多い。
(3) 蒸気比重は1より大きく、低所に滞留する。
(4) 一般に自然発火しやすい。
(5) 不良導体で静電気が発生しやすい。

7 第４類の危険物に共通する性質として、誤っているものはどれか。１つ選びなさい。

(1) 第４類の危険物は、電気の良導体であることから、静電気が蓄積しやすい。
(2) 蒸気比重が１より大きく、蒸気が低所に滞留する。
(3) 液比重は１より小さく、水には溶けないものが多い。
(4) すべてが引火性の液体で、火気等により混合気への引火または爆発の危険がある。
(5) 沸点や引火点が低いものほど蒸気が発生しやすく、引火の危険性が高い。

8 第４類の危険物の危険性として、誤っているものはどれか。１つ選びなさい。

(1) 静電気が蓄積されるほど、危険性が高い。
(2) 発火点の低いものほど、危険性が高い。
(3) 引火点の低いものほど、危険性が高い。
(4) 沸点の低い水溶性のものは、水で希釈すると引火点が下がる。
(5) 沸点の低いものほど、危険性が高い。

9 第４類の危険物の性質として、正しいものを１つ選びなさい。

(1) 電気の不良導体なので、静電気が蓄積しにくい。
(2) 電気の良導体なので、静電気が蓄積し、自然発火しやすい。
(3) 沸点の低いものは、引火の危険性が高い。
(4) 水溶性のものは、水で希釈するとかえって燃焼範囲が広がる。
(5) 蒸気は空気より重いので、放散しやすい。

10 第４類の危険物の性質として、正しいものを１つ選びなさい。

(1) 発火点以下では、炎・火花によっても引火しない。

(2)　0℃以下では、可燃性蒸気は燃焼範囲に達しない。

(3)　発火点以上の温度に加熱されれば、自ら燃焼する。

(4)　火源があれば、必ず燃焼する。

(5)　火源がなければ発火点以上の温度でも、燃焼しない。

11　**第4類の危険物の性質として、正しいものを1つ選びなさい。**

(1)　液比重は1より小さく、蒸気比重は1より大きいものが多い。

(2)　発火点250℃未満のものがほとんどである。

(3)　無色透明で、ほとんどが無機化合物である。

(4)　粘り気があり、引火点が10℃以下のものが多い。

(5)　空気中では自然発火の危険性が高く、衝撃などにより爆発の危険性を有するものが多い。

12　**第4類の危険物の貯蔵・取扱いについての説明で、誤っているものはどれか。1つ選びなさい。**

(1)　容器は密栓をして、冷所に貯蔵する。

(2)　みだりに可燃性蒸気を発生させない。

(3)　可燃性蒸気が滞留するおそれのある場所では、火花を発生する機器などを使用しない。

(4)　可燃性蒸気は、高所に滞留するので換気を十分に行う。

(5)　電気の不良導体であるものが多く、静電気を蓄積させない。

13　**第4類の危険物の貯蔵または取扱い上の一般的な注意事項として、正しいものを1つ選びなさい。**

(1)　水没貯蔵するときは、日に1度は危険物を空気にさらす。

(2)　容器に詰め替えるときは蒸気が多量に発生するので、床に蒸気溜りのくぼみを作るなど、蒸気の拡散防止を図る。

(3)　容器に詰めるときは蒸気の発生を防止するため、容器内に空間を残さないように満ぱいに詰めて密栓する。

(4)　発生する蒸気はいずれも空気より軽く高所に滞留するので、天上近くに換気口を設ける。

(5)　配管で送油するときは、流動摩擦による静電気の発生を抑えるため毎秒１m以下に流速を下げる。

14

第４類の危険物の一般的取扱いの注意事項として、正しいものを１つ選びなさい。

(1)　低所に滞留するので蒸気の排出は、換気口を大きくとって地表に向かって行うのがよい。

(2)　危険物が流出した場合は、液面が拡大しないように外へ漏れ出さないような措置をし、自然に蒸発するのを待つ。

(3)　水に溶けない危険物を廃棄する場合は、蒸気が外気に拡散しないように布などに染み込ませるのがよい。

(4)　危険物を運搬する場合は、容器内の上部に空間があると揺れて蒸気が発生しやすいので、空間を残さないように満ぱいにして密栓する。

(5)　静電気が蓄積していると火花放電により引火することがあるので、静電気が蓄積しないようにあらかじめ接地等の対策を立てておく。

15

第４類の危険物の一般的取扱いの注意事項として、誤っているものはどれか。１つ選びなさい。

(1)　みだりに蒸気を発生させない。

(2)　導電性の悪い液体を取り扱う場合は、静電気の発生および蓄積に注意する。

(3)　空缶であっても内部に蒸気が残っているおそれがあるので、取扱いに注意する。

(4)　蒸気が外部に漏れると危険なので、室内の換気は極力行わないようにする。

(5)　ドラム缶の栓等を開閉するときは、金属工具でたたかないようにする。

16 第４類の危険物に共通する火災予防について、誤っているものはどれか。１つ選びなさい。

(1) 静電気の蓄積を防止するため、湿度の高い場所で取り扱う。
(2) 外で詰め換え等を行うときは、火気の風上で行う。
(3) 可燃性の蒸気を滞留させないため、通風・換気をよくする。
(4) 可燃性蒸気の発生を防止するため、容器は密栓して冷所に貯蔵する。
(5) 引火を防止するため、みだりに火花を発生する機器を使用しない。

17 第４類の危険物の火災予防における換気の必要性の説明として、正しいものを１つ選びなさい。

(1) 静電気防止のため。
(2) 自然発火防止のため。
(3) 燃焼範囲の下限界よりも低くするため。
(4) 可燃性蒸気を攪はんするため。
(5) 湿度を一定に保つため。

18 第４類危険物の消火方法として最も適当なものはどれか。正しいものを１つ選びなさい。

(1) 消火液等を用いて、空気との接触を遮断する。
(2) 液温を引火点以下に冷却する。
(3) 消火液等を用いて、可燃性蒸気を燃焼範囲以下に希釈する。
(4) 水で希釈し、可燃性蒸気の発生を抑制する。
(5) 消火液を用いて、発生する可燃性蒸気を除去する。

19 第４類危険物の火災に水を用いて消火するのは適当でないといわれるが、その理由はどれか。正しいものを１つ選びなさい。

(1) 発熱して火勢が強くなるから。
(2) 発火点が下がるから。
(3) 引火点が上がるから。
(4) 有毒ガスが発生するから。

(5) 燃焼面が拡大するから。

20 第4類危険物の消火方法として、適当でないものはどれか。1つ選びなさい。

(1) ガソリンの火災に、粉末（ABC）消火器を用いる。
(2) 軽油の火災に、二酸化炭素消火器を用いる。
(3) 重油の火災に、棒状の強化液消火器を用いる。
(4) あまに油の火災に、化学泡消火器を用いる。
(5) ギヤー油の火災に、ハロゲン1211消火器を用いる。

21 第4類危険物の性質A～Dのすべてに該当するものはどれか。正しいものを1つ選びなさい。

A 水によく溶ける
B 引火点は0℃以下
C 比重は1以下
D 無色の液体

(1) ガソリン
(2) 二硫化炭素
(3) アセトン
(4) エチルアルコール
(5) 酢酸

22 比重が1以上のもののみを掲げた危険物の組み合わせとして、正しいものを1つ選びなさい。

(1) 氷酢酸、軽油、重油
(2) ガソリン、重油、二硫化炭素
(3) 氷酢酸、エチルアルコール、灯油
(4) ニトロベンゼン、氷酢酸、二硫化炭素
(5) グリセリン、アセトン、アセトアルデヒド

23

次の危険物の引火点と燃焼範囲からみて、最も危険性の大きいものはどれか。正しいものを１つ選びなさい。

	(物品名)	(引火点)	(燃焼範囲)
(1)	メチルアルコール	11℃	6.0～36.0％
(2)	ベンゼン	−10℃	1.3～7.1％
(3)	酸化プロピレン	−37℃	2.8～37.0％
(4)	ガソリン	−40℃以下	1.4～7.6％
(5)	ジエチルエーテル	−45℃	1.9～36％

24

次の危険物で、発火点の最も低いものはどれか。正しいものを１つ選びなさい。

(1) 二硫化炭素　(2) ガソリン

(3) 灯油　(4) 軽油

(5) 重油

25

次の危険物のうち、引火点が最も低く、かつ燃焼範囲の最も広いものはどれか。正しいものを１つ選びなさい。

(1) 酸化プロピレン

(2) 二硫化炭素

(3) アセトアルデヒド

(4) エチルアルコール

(5) アセトン

26

次の危険物で燃焼範囲が最も広いものはどれか。正しいものを１つ選びなさい。

(1) ガソリン

(2) アセトン

(3) 灯油

(4) 軽油

(5) メチルアルコール

27 特殊引火物について、誤っているものはどれか。１つ選びなさい。

(1) アセトアルデヒドは、第４類中で燃焼範囲が4.0～60.0と最も広い。

(2) 酸化プロピレンは、引火する危険性が高く、貯蔵するときは不活性ガスを注入する。

(3) 二硫化炭素は、無色の液体で水より重いが、水によく溶ける。

(4) ジエチルエーテルは、第４類の中で引火点が−45℃と最も低く、燃焼範囲は極めて広い。

(5) 二硫化炭素は、第４類の中で発火点が90℃と最も低く、蒸気は特に有毒である。

28 ジエチルエーテルと二硫化炭素に共通する性状・性質として、誤っているものはどれか。１つ選びなさい。

(1) いずれも無色透明の液体である。

(2) いずれもアルコールにはよく溶ける。

(3) いずれも引火点は低く、極めて引火しやすい。

(4) いずれも液比重は１より小さい。

(5) いずれも静電気を発生しやすい。

29 ジエチルエーテルについて、正しいものを１つ選びなさい。

(1) 蒸気は麻酔性があり、蒸気比重は１より小さい。

(2) 液比重は水より大きく、水にはわずかに溶ける。

(3) 空気と長く接触すると過酸化物を生じ、危険性が増大する。

(4) 引火点はガソリンより低く、燃焼範囲はガソリンよりやや狭い。

(5) 沸点が極めて高く、揮発性も低い。

30 ジエチルエーテルについて、誤っているものはどれか。１つ選びなさい。

(1) 水より軽く、蒸気比重は空気より重い。

(2) 燃焼範囲も広く、引火点が－45℃と低い。第４類の危険物の中では危険性の高い危険物である。
(3) 沸点が低く揮発性の強い無色透明の液体で、蒸気には麻酔性がある。
(4) 水にはよく溶けるが、アルコールには溶けない。
(5) 引火点・発火点ともにアセトアルデヒドよりも低い。

31

二硫化炭素について、誤っているものはどれか。１つ選びなさい。

(1) 発火点が90℃で、引火点は０℃以下である。
(2) 燃焼すると有毒な二酸化硫黄（亜硫酸ガスSO_2）を発生する。
(3) 蒸気は有毒で、蒸気抑制のために水没貯蔵する。
(4) 燃焼範囲は、ガソリンよりも狭い。
(5) 純粋なものは、無臭で無色透明な液体である。

32

二硫化炭素について、正しいものを１つ選びなさい。

(1) 発火点は90℃で、第４類危険物の中で最も高い。
(2) 水より軽く、水には溶けないがエチルアルコールにはよく溶ける。
(3) 燃焼の際に有毒の亜硝酸ガスを発生する。
(4) 極めて揮発しやすく、その蒸気比重は空気の2.64倍である。
(5) 燃焼範囲は極端に狭い。

33

二硫化炭素は水没貯蔵しなければならないが、その理由として最も適当なものを１つ選びなさい。

(1) 空気中に浮遊する不純物の混入を防ぐため。
(2) 有毒な可燃性蒸気の発生を防ぐため。
(3) 水の冷却によって発熱をおさえるため。
(4) 火気との接触を避けるため。
(5) 常温での分解を避けるため。

34 アセトアルデヒドについて、誤っているものはどれか。1つ選びなさい。

(1) 沸点は20℃と低く、極めて揮発性が高い。
(2) 水または空気によって分解する。
(3) 引火点は－39℃で、発火点は175℃である。
(4) 水に溶ける特殊引火物である。
(5) 燃焼範囲は、第4類の中で最も広い。

35 酸化プロピレンについて、誤っているものはどれか。1つ選びなさい。

(1) 貯蔵する場合は、不活性ガスを注入する。
(2) 無色透明の液体である。
(3) 引火点は－37℃で、極めて引火しやすい。
(4) 重合する性質があり、その際熱を発生する。
(5) 水にまったく溶けない液体である。

36 第1石油類の説明として、誤っているものはどれか。1つ選びなさい。

(1) 主なものとして、ガソリン・ベンゼン・トルエンなどがある。
(2) 1気圧において、引火点が21℃未満の液体である。
(3) すべて電気の不良導体である。
(4) 常温では、液体または気体である。
(5) 水溶性のものと非水溶性のものがある。

37 ガソリンについて、誤っているものはどれか。1つ選びなさい。

(1) 水には溶けない。
(2) 無色・無臭である。
(3) 蒸気は、空気より3～4倍重い。
(4) 用途別に、自動車ガソリン・工業ガソリンなどの種類がある。

(5) 電気の不良導体であるため、流動などの際に静電気が発生しやすい。

38 ガソリンの取扱い上の注意事項について、正しいものを1つ選びなさい。

(1) 風の強いときは、蒸気が低所に滞留しやすいので注意する。
(2) 静電気が流れると危険なので、詰め替え時には接地を外す。
(3) 気温が0℃以下の場合でも、火気を近づけないようにする。
(4) 火気の風上で取り扱うのが、原則である。
(5) 引火点が－40℃以下と低いので、暖所で貯蔵する。

39 自動車ガソリンについて、誤っているものはどれか。1つ選びなさい。

(1) 暗褐色の液体である。
(2) 蒸気比重は、1より大きい。
(3) 液比重は1より小さく、水に溶けない。
(4) 電気の不良導体なので、流体摩擦等で静電気が発生する。
(5) 揮発性が高く、石油臭がある。

40 自動車ガソリンについて、誤っているものはどれか。1つ選びなさい。

(1) 引火点は、－40℃以下である。
(2) 発火点は灯油より低い。
(3) 液比重は0.65～0.75である。
(4) 蒸気比重は3～4である。
(5) 燃焼範囲は、メチルアルコールより狭い。

41 アセトンについて、誤っているものはどれか。1つ選びなさい。

(1) 無色透明で特有の臭いがある液体である。
(2) 液比重は1より小さい。

⑶　水には溶けない。
⑷　沸点はガソリンより低く、揮発しやすい。
⑸　溶剤として使用される。

42 ベンゼンについて、誤っているものはどれか。1つ選びなさい。

⑴　液比重は1より小さい。
⑵　蒸気比重はガソリンより軽い。
⑶　引火点は0℃より低い。
⑷　冬期、固化したものであっても引火の危険がある。
⑸　無色透明で水に溶ける。

43 ベンゼンの火災予防上の注意事項として、誤っているものはどれか。1つ選びなさい。

⑴　蒸気比重が2.77と空気より重いことに注意する。
⑵　引火点が－10℃と低いことに注意する。
⑶　流体摩擦で静電気が発生しやすいことに注意する。
⑷　禁水性の危険物であることに注意する。
⑸　蒸気は、毒性が強いことに注意する。

44 アルコール類について、誤っているものはどれか。1つ選びなさい。

⑴　燃焼すると黒いすすが発生する。
⑵　蒸気を発生しやすいが、引火点が常温（20℃）以上のものがある。
⑶　メチルアルコールは毒性が強い。
⑷　自動車の燃料としても使用される。
⑸　酒類の主成分は、エチルアルコールである。

45 メチルアルコールについて、誤っているものはどれか。１つ選びなさい。

(1) 引火点は、エチルアルコールより低い。
(2) 沸点は、エチルアルコールより低い。
(3) 揮発性で無色透明の芳香のある液体である。
(4) 水および多くの有機溶剤に溶ける。
(5) 発火点は、エチルアルコールより低い。

46 エチルアルコールについて、誤っているものはどれか。１つ選びなさい。

(1) 液比重は水より小さい。
(2) 蒸気比重は、空気より大きい。
(3) 毒性はないが、麻酔性がある。
(4) 発火点は、363℃である。
(5) 引火点は、メチルアルコールより低い。

47 エチルアルコールについて、誤っているものはどれか。１つ選びなさい。

(1) 引火点は、常温（20℃）以下である。
(2) 水または有機溶剤によく溶ける。
(3) 精製されたものは無色・無臭で毒性がある。
(4) 麻酔性がある。
(5) 蒸気比重は、メチルアルコールより大きい。

48 メチルアルコールとエチルアルコールに共通する性質として、誤っているものはどれか。１つ選びなさい。

(1) 蒸気比重は１より大きい。
(2) 引火点は、常温（20℃）以下である。
(3) 水よりも、沸点が低い。
(4) 燃焼しても炎の色が淡いため認識しにくい。

⑸ 極めて毒性が強い。

49 アルコール類の火災に消火剤として普通の泡が使用されない理由として、正しいものを１つ選びなさい。

⑴ 泡消火剤と化学反応を起こし、発熱するから。
⑵ 燃焼速度が速くなるから。
⑶ 泡の比重がアルコールより大きいため、泡が沈むから。
⑷ 泡は水溶性なので、泡消火剤を溶かしてしまうから。
⑸ 発生する燃焼熱量が大きいため、泡が破壊されるから。

50 灯油について、誤っているものはどれか。１つ選びなさい。

⑴ 水より軽い。
⑵ 水に溶けない。
⑶ 引火点は220℃である。
⑷ 電気の不良導体である。
⑸ 引火点は軽油より低い。

51 灯油について、正しいものを１つ選びなさい。

⑴ 水によく溶ける。
⑵ 空気にさらされると、常温（20℃）でも自然発火しやすい。
⑶ 液温が常温（20℃）でも引火の危険性がある。
⑷ 攪拌、混合では静電気は発生しない。
⑸ 液温が引火点以上になると、引火危険はガソリンとほぼ同様となる。

52 灯油の火災予防および消火方法に関して、誤っているものはどれか。１つ選びなさい。

⑴ 引火点以下の温度であれば、霧状の細粒でも引火の危険性はない。
⑵ 引火点以上に液温が上がったときは、ガソリンと同様に危険性がある。

(3) 流体摩擦による静電気の発生に注意する。
(4) 引火点は40℃以上なので、常温では引火する危険性はない。
(5) 消火に用いる消火剤は、ガソリンと同様である。

53 **軽油について、誤っているものはどれか。１つ選びなさい。**

(1) 一般に、淡青色に着色されている。
(2) 蒸気比重は、4.5である。
(3) 引火点は、45℃以上である。
(4) 沸点は、水より高い。
(5) 別名ディーゼル油ともいう。

54 **軽油について、誤っているものはどれか。１つ選びなさい。**

(1) 常温（20℃）では引火しにくい。
(2) ガソリンと混合されたものは、引火しやすい。
(3) 蒸気比重が１より大きいので、拡散しやすい。
(4) 電気の不良導体なので、静電気を発生しやすい。
(5) 発火点は、灯油と同じである。

55 **灯油および軽油について、誤っているものはどれか。１つ選びなさい。**

(1) いずれも水より軽い。
(2) いずれも水に溶けない。
(3) いずれも蒸気比重は4.5である。
(4) いずれも引火点は常温（20℃）より低い。
(5) いずれも発火点は220℃である。

56 **キシレンについて、誤っているものはどれか。１つ選びなさい。**

(1) 蒸気比重は1より小さい。
(2) 3種類の異性体があるが、蒸気比重はみな同じである。
(3) 無色透明な特異臭のある液体である。
(4) 水に溶けない。
(5) 液比重はそれぞれ異なるが1より小さく、水より軽い。

57 **クロロベンゼンについて、誤っているものはどれか。1つ選びなさい。**

(1) 引火点は、28℃である。
(2) 沸点は、139℃である。
(3) 若干の麻酔性がある。
(4) 液比重は1より小さい。
(5) 水に溶けないが、アルコール、エーテルには溶ける。

58 **酢酸について、誤っているものはどれか。1つ選びなさい。**

(1) 引火点は41℃である。
(2) 発火点は、軽油の2倍以上の高さである。
(3) 水溶液は、弱い酸性を示す。
(4) 蒸気比重は、空気の約2倍である。
(5) 15℃では凝固しない。

59 **酢酸について、誤っているものはどれか。1つ選びなさい。**

(1) 16℃以下で凝固する。
(2) 発火点は41℃である。
(3) 高純度品よりも水溶液のほうが腐食性が強い。
(4) 無色透明な液体で、特異な刺激臭がある。
(5) 一般には、96%以上のものを氷酢酸という。

60 第３石油類について、誤っているものはどれか。１つ選びなさい。

(1) 重油、クレオソート油、グリセリンなどが該当する。

(2) 常温（20℃）で固体のものもある。

(3) 引火点が70℃以上200℃未満で、かつ20℃で液体のものをいう。

(4) 水溶性のものとしては、グリセリンなどがある。

(5) 液比重が１より大きいものが多い。

61 重油について、誤っているものはどれか。１つ選びなさい。

(1) 引火点は60～150℃、発火点は250℃～380℃である。

(2) 不純物として含まれる硫黄は燃えると有毒ガスになる。

(3) 水に溶けない。

(4) 液比重は１より大きく、水より重い。

(5) 日本工業規格では、A重油（１種）・B重油（２種）・C重油（３種）に分類される。

62 重油について、誤っているものはどれか。１つ選びなさい。

(1) ガソリンよりも粘性のある液体である。

(2) 淡褐色の液体である。

(3) 液比重は１前後で、やや水より軽い。

(4) 燃焼温度が高いため消火が困難である。

(5) 霧状になったものは、引火点以下でも危険である。

63 クレオソート油について、正しいものを１つ選びなさい。

(1) 無色・無臭の液体である。

(2) 沸点は200℃以上である。

(3) 引火点は50℃以下である。

⑷　液比重は水の２倍である。

⑸　水にはよく溶ける。

64 クレオソート油について、誤っているものはどれか。１つ選びなさい。

⑴　液比重は、１以上である。

⑵　沸点は、200℃以上である。

⑶　引火点は、73.9℃である。

⑷　特異臭があり、抽出物には薬効がある。

⑸　水には溶けないが、アルコール・ベンゼンなどに溶ける。

65 グリセリンについて、正しいものを１つ選びなさい。

⑴　発火点は177℃である。

⑵　暗褐色の粘性のある透明な液体である。

⑶　液比重は二硫化炭素と同じである。

⑷　水より軽い。

⑸　アルコール等には溶けるが水には溶けない。

66 次の文章のＡ～Ｃに当てはまる語句の組み合わせとして、正しいものを１つ選びなさい。

「第４石油類に属する物質は、一般に（Ａ）が高いので（Ｂ）しない限り引火する危険性はないが、いったん燃焼すると（Ｃ）が非常に高くなり消火が困難となる。」

	Ａ	Ｂ	Ｃ
⑴	引火点	加　熱	液　温
⑵	引火点	沸　騰	気　温
⑶	発火点	点　火	液　温
⑷	沸　点	点　火	気　温
⑸	融　点	加　熱	液　温

67 第４石油類について、誤っているものはどれか。１つ選びなさい。

(1) ギヤー油やシリンダー油・タービン油などある。
(2) 一般に、ガソリンに比べ粘性が高い。
(3) 水より軽いが、水に溶けるものが多い。
(4) １気圧において引火点が200℃以上250℃未満の液体である。
(5) 常温（20℃）で液状である。

68 第４石油類について、正しいものを１つ選びなさい。

(1) 水によく溶ける液体である。
(2) 火災になっても液温はあまり上がらない。
(3) 一般に引火点が200℃未満のものが多い。
(4) 水素を含有する消火薬剤を用いると、水分が沸騰蒸発して消火困難となる。
(5) 蒸発性がほとんどないため、加圧しなければ発火する危険性はない。

69 動植物油類の説明として、誤っているものはどれか。１つ選びなさい。

(1) ヤシ油・パーム油などがある。
(2) 水より軽く、水には溶けない。
(3) 引火点は250℃以上である。
(4) 不飽和脂肪酸が多いほど、ヨウ素価が大きい。
(5) 一般に、自然発火は乾性油ほど起こりやすい。

70 動植物油類の説明として、誤っているものはどれか。１つ選びなさい。

(1) 一般に純粋なものは無色透明である。
(2) 発生する熱が蓄積しやすいほど自然発火しやすい。
(3) 一般に不飽和脂肪酸を含む。

(4) 乾性油のほうが不乾性油よりもヨウ素価が大きい。
(5) ヨウ素価が小さいほど自然発火しやすい。

71 **動植物油類が浸みこんだ布切れが自然発火した。この原因として考えられるものはどれか。正しいものを1つ選びなさい。**

(1) 酸化されやすいから。
(2) 気温が高かったから。
(3) 蒸発しにくいから。
(4) 不飽和脂肪酸が飽和脂肪酸に変わったから。
(5) 半乾性油だったから。

72 **次の消火方法のうち、適当でないものはどれか。1つ選びなさい。**

(1) ガソリンの火災に泡消火剤を使用する。
(2) 灯油の火災に粉末消火剤を使用する。
(3) 重油の火災に、棒状の強化液消火剤を使用する。
(4) 潤滑油の火災に、ハロゲン化物消火剤を使用する。
(5) 動植物油類の火災に、二酸化炭素消火剤を使用する。

73 **ガソリンを他の容器に詰め替え中、付近で使用していた灯油ストーブにより火災となった。この火災の発生原因として適当なものはどれか。1つ選びなさい。**

(1) ガソリンが灯油ストーブにより加熱され、発火点以上となったから。
(2) 灯油ストーブにより周囲の温度が上昇し、発火点に達したから。
(3) 灯油ストーブの火花が静電気を発生したから。
(4) ガソリンの蒸気が、床をはって灯油ストーブの付近まで流れて引火したから。
(5) 灯油ストーブが風上にあり、ガソリンが温められ、熱を伝って引火したから。

石油類の貯蔵タンクを修理または清掃する場合の火災予防上の注意事項として、誤っているものはどれか。1つ選びなさい。

(1) タンク内に残っている可燃性蒸気を除去する。

(2) 残油などをタンクから引き出すときは、静電気の蓄積を防止するため、タンクおよび受皿を接地（アース）する。

(3) タンク内での作業を始める前に、タンク内の可燃性ガス濃度を測定機器で確認する。

(4) 洗浄のために水蒸気をタンク内に噴出させるときは、静電気の発生を防止するため、高圧で短時間で洗浄する。

(5) タンク内に水の代わりに不燃性ガスを封入するときは、窒素ガス等を用いる。

第3章 危険物の性質・火災予防・消火方法

解答・解説

1 解答 (1) ○ (2) ○ (3) ○ (4) ○ (5) ×

解説 液体危険物のほとんどが確かに液比重は1より小さいが、第4類危険物の中の二硫化炭素は液比重が1より大きいことから水没して保管する。また、固体の中では、カリウムのように比重が1より小さく水に浮くものもある。

2 解答 (1) ○ (2) ○ (3) × (4) ○ (5) ○

解説 第4類危険物は、すべて引火性液体である。気体は該当しない。

3 解答 (1) ○ (2) ○ (3) × (4) ○ (5) ○

解説 第3類の危険物は、自然発火性物質および禁水性物質である。物質と断ってあるのは、固体も液体もふくまれるという意味である。

4 解答 (1) ○ (2) ○ (3) ○ (4) ○ (5) ×

(次ページ表「各類ごとの共通する性質・性状」参照)

解説 第6類は、不燃性の酸化性液体である。自然発火はしない。

5 解答 (1) × (2) × (3) ○ (4) × (5) ×

(1) これは第1類の危険物である。

(2) これは第3類の危険物である。

(4) これは第5類の危険物である。

(5) これは第6類の危険物である。

解説 基本中の基本である。第4類危険物は、引火性液体である。

6 解答 (1) ○ (2) ○ (3) ○ (4) × (5) ○

解説 第4類危険物は、引火性液体とあるように、一般には自然発火はしない危険物がほとんどである。ただし、動植物油のうちヨウ素価の大きい乾性油などは、自然発火する危険性がある。

◆各類ごとの共通する性質・性状◆

類別	性質	性状（状態）	性質の概要
第1類	酸化性固体	固体	◉そのもの自体は燃焼しないが、他の物質を強く酸化させる性質を有する固体であり、可燃物と混合したとき、熱、衝撃、摩擦によって分解し、極めて激しい燃焼を起こさせる。
第2類	可燃性固体	固体	◉火炎によって着火しやすい固体または比較的低温（40℃未満）で引火しやすい固体であり、出火しやすく、かつ燃焼が速く消火することが困難である。
第3類	自然発火性物質及び禁水性物質	液体または固体	◉空気にさらされることにより自然に発火し、または水と接触して発火しもしくは可燃性ガスを発生する。
第4類	引火性液体	液体（第3石油類、第4石油類、動植物油類は1気圧20℃で液状であるものに限る）	◉液体であって引火性を有する。
第5類	自己反応性物質	液体または固体	◉固体または液体であって、加熱分解などにより、比較的低い温度で多量の熱を発生し、または爆発的に反応が進行する。
第6類	酸化性液体	液体	◉そのもの自体は燃焼しない液体であるが、混在する他の可燃物の燃焼を促進する性質を有する。

注1　液体とは、1気圧において温度20℃で液体であるものまたは温度20℃を超え40℃以下の間において液状となるものをいう。
2　固体とは、液体または気体（1気圧において、温度20℃で気体状であるもの）以外のものをいう。

7　**解答**　(1) ×　(2) ○　(3) ○　(4) ○　(5) ○

解説　第4類危険物は、ほとんどが電気の不良導体であることから、静電気を発生しやすい。したがって、静電気の発生とその蓄積予防が重要となる。

8　**解答**　(1) ○　(2) ○　(3) ○　(4) ×　(5) ○

解説　希釈とは薄めるという意味であるが、危険物そのものの引火点が下がるということではない。水で希釈することができるのは当然水溶性の危険物だが、希釈すると可燃性蒸気の発生量が減少し、空気との混合濃度が低下する。結果として、燃焼範囲を下回ることになって鎮火にいたる。

9 **解答** (1) × (2) × (3) ○ (4) × (5) ×

(1) 不良導体は、静電気が蓄積しやすい。

(2) 電気の良導体は静電気が蓄積しにくい。また、静電気と自然発火は直接的には関わりがない。

(4) 水で希釈しても、危険物の燃焼範囲（爆発範囲）が広がることはない。

(5) 第4類危険物の蒸気は、一般に1より大きい。したがって、低所に滞留しやすい。

10 **解答** (1) × (2) × (3) ○ (4) × (5) ×

(1) 発火点に達しなくとも、引火点に達し燃焼範囲内にあれば火花等によって引火する危険がある。

(2) 0℃以下の引火点のものもある。

(4) 引火点以下であれば、火源があっても燃焼する危険はない。燃焼するのは可燃性蒸気としての酸素との混合気である。

(5) 発火点に達すれば、火源がなくとも燃焼する。

解説 引火点と発火点の違いを明確にしておくことが大切である。

11 **解答** (1) ○ (2) × (3) × (4) × (5) ×

(2) 発火点250℃未満のものは少ない。

(3) 無色透明なものは多いが、有色のものも少なくない。無機化合物の二硫化炭素を除けば、他は可燃性の酸化されやすい有機化合物である。

(4) 水のようにサラサラしており、また、引火点が10℃以下が多いとはいえない。

(5) 空気にさらしても自然発火することはほとんどない。

12 **解答** (1) ○ (2) ○ (3) ○ (4) × (5) ○

解説 第4類危険物はほとんどが蒸気比重は1より大きく、可燃性蒸気は低所に滞留する。したがって、通風や換気に留意する必要がある。

13 **解答** (1) × (2) × (3) × (4) × (5) ○

(1) 水没貯蔵するのは、有毒な蒸気を発生させないためである。

(2) 第4類は空気より重いため蒸気溜まりのくぼみを造ると滞留して、

引火の危険性を高めるだけである。

(3) 容器に詰めるときは、危険物の膨張を考慮して、98%以下の空隙を残して保存しなければならない。

(4) 第4類危険物の蒸気は、空気より重く、低所に滞留する。

14 解答 (1) × (2) × (3) × (4) × (5) ○

(1) 低所へ滞留することから、強制的換気で排出は屋外の高所へ行う。

(2) 自然に蒸発するのを待つのではなく、直ちに乾燥砂等で吸着除去する。

(3) 布などに吸着させるのは、蒸発するので危険である。安全な場所で、安全な方法で処置する。

(4) 液体膨張率を考慮して満杯に詰めてはならない。

15 解答 (1) ○ (2) ○ (3) ○ (4) × (5) ○

解説 これはまったく正反対の対応である。蒸気が滞留すると引火危険が高まるのが第4類危険物管理の特徴であることから、室内の換気を良くし、蒸気を室外に排出することが重要である。

16 解答 (1) ○ (2) × (3) ○ (4) ○ (5) ○

解説 火気の風上で取り扱うのは厳禁である。滞留した蒸気が風下に這い、火気に接近して引火する危険がある。

17 解答 (1) × (2) × (3) ○ (4) × (5) ×

解説 第4類危険物の蒸気は比重が1より大きいためにほとんどが低所に滞留する特質がある。そのため、引火等の危険を避けるには換気と蒸気の排出によって燃焼範囲の下限界より低くする。

18 解答 (1) ○ (2) × (3) × (4) × (5) ×

解説 第4類危険物の一般的な消火方法は、窒息消火である。選択肢のように、新たな空気との接触を断つことが肝心である。

19 解答 (5)

解説 第4類危険物の一般的な火災に放水するのは、燃焼面をかくはんして火勢を強め、比重の軽い危険物をさらに浮上させて燃焼面を拡大するのみなので、不適合である。

20 解答 (3)

解説　重油の火災に適するのは、泡・粉末・二酸化炭素などの消化剤である。第4類危険物の一般的な火災に水はもちろん不適合だが、強化液消化剤を使用する場合も棒状のものではなく、霧状の強化液を用いる。

21　解答　(1) ×　(2) ×　(3) ○　(4) ×　(5) ×

(1) ガソリンは、Aには当てはまらない。

(2) 二硫化炭素は、第4類危険物の中で、比重が1より大きく水に溶けないのでAとCに当てはまらない。

(4) エチルアルコールはBに当てはまらない。

(5) 酢酸は、BとCに当てはまらない。

解説　アセトンは、比重0.79、引火点−20℃、水によく溶ける。

22　解答　(1) ×　(2) ×　(3) ×　(4) ○　(5) ×

解説　第4類危険物の中で比重が1より大きい主な物品は、以下のとおりである。

二硫化炭素………1.26

氷酢酸……………1.05

クレオソート油…1.0以上

ニトロベンゼン…1.2

グリセリン………1.26

クロロベンゼン…1.11

アニリン…………1.01

23　解答　(1) ×　(2) ×　(3) ×　(4) ×　(5) ○

解説　第4類危険物の中での比較をすれば、引火点が低く、燃焼範囲が広いものほど危険性が大きい。

24　解答　(1) ○　(2) ×　(3) ×　(4) ×　(5) ×

(1) 二硫化炭素の発火点は、90℃

(2) ガソリンの発火点は、約300℃

(3) 灯油の発火点は、220℃

(4) 軽油の発火点は、220℃

(5) 重油の発火点は、250〜380℃

解説　二硫化炭素の発火点は、第4類危険物の中で特に低いことから、よく出題される。

25 解答 (3)

(1) 酸化プロピレンの引火点は、－37℃

(2) 二硫化炭素の引火点は－30℃以下で、燃焼範囲は1.0～50.0%

(3) アセトアルデヒドの引火点は－39℃で、燃焼範囲は4.0～60%

(4) エチルアルコールの引火点は、13℃

(5) アセトンの引火点は、－20℃

解説 アセトアルデヒドの燃焼範囲は、第4類危険物の中で最も広いことから、よく出題される。

26 解答 (5)

(1) ガソリンの燃焼範囲は、1.4～7.6%

(2) アセトンの燃焼範囲は、2.15～13.0%

(3) 灯油の燃焼範囲は、1.1～6.0%

(4) 軽油の燃焼範囲は、1.0～6.0%

(5) メチルアルコールの燃焼範囲は、6.0～36%

解説 メチルアルコールの燃焼範囲は、第4類危険物の中で燃焼範囲の広い物品の一つとして、アセトアルデヒドと共に覚えておく。

27 解答 (1) ○ (2) ○ (3) × (4) ○ (5) ○

解説 二硫化炭素は、水より重く、水に溶けない。有毒な蒸気発生を防止する目的で水没貯蔵するのは、そのためである。

28 解答 (1) ○ (2) ○ (3) ○ (4) × (5) ○

解説 液比重はジエチルエーテル0.71、二硫化炭素1.26。したがって、二硫化炭素は水に沈む。

29 解答 (1) × (2) × (3) ○ (4) × (5) ×

(1) ジエチルエーテルの蒸気比重は1より大きい。

(2) 液比重は1より小さく、水には溶けない。

(4) 燃焼範囲は1.9～36%で、ガソリンの燃焼範囲は1.4～7.6%である。したがって、燃焼範囲はガソリンより広い。

(5) 沸点は35℃と低く、揮発性は高い。

30 **解答** (1) ○ (2) ○ (3) ○ (4) × (5) ○

解説 ジエチルエーテルは水にはほとんど溶けない。しかし、アルコールにはよく溶ける。

31 **解答** (1) ○ (2) ○ (3) ○ (4) × (5) ○

解説 二硫化炭素の燃焼範囲は１～50％で、ガソリンの燃焼範囲は1.4～7.6％である。

32 **解答** (1) × (2) × (3) × (4) ○ (5) ×

(1) 発火点は最も低い。

(2) 比重は１より大きく、水には溶けない。

(3) 燃焼すると亜硫酸ガスを発生する。

(5) 燃焼範囲は、１～50％と広い。

解説 二硫化炭素は沸点が46℃、引火点が－30℃以下と低いことから、揮発性が高い物質であることが分かる。

33 **解答** (1) × (2) ○ (3) × (4) × (5) ×

解説 二硫化炭素は沸点が46℃、引火点が－30℃以下と低く、揮発性が高い物質である。さらに、蒸気や燃焼ガスの亜硫酸ガスは有毒であり、また、液比重が１より大きく水には溶けないことから、蒸気を発生させないために水没貯蔵する。

34 **解答** (1) ○ (2) × (3) ○ (4) ○ (5) ○

解説 アセトアルデヒドは沸点が20℃であり、揮発性が高く、水にもよく溶ける。しかし、水や空気に触れても化学反応は起こさない物質である。水・空気との接触で化学反応を起こすのは、第３類危険物である。

35 **解答** (1) ○ (2) ○ (3) ○ (4) ○ (5) ×

解説 酸化プロピレンは、水にはよく溶ける。また、アルコールやジエチルエーテルにもよく溶け、無色透明のエーテル臭のある液体である。

36 **解答** (1) ○ (2) ○ (3) ○ (4) × (5) ○

解説 第４類危険物は、すべて引火性液体である。気体は該当しない。

37 **解答** (1) ○ (2) × (3) ○ (4) ○ (5) ○

解説 ガソリンは本来無色で特臭がある。ただし、自動車燃料用のガソリンはオレンジ色に着色されている。

38 解答 (1) × (2) × (3) ○ (4) × (5) ×

(1) 風が強ければ風に吹かれて、重い蒸気でも滞留しない。

(2) 接地するのは、静電気を蓄積させないためである。

(4) 蒸気比重が1より大きいということは、地をはうように広がるということである。風下に火源があれば引火危険が高まる。したがって、風上で取り扱うときには特に注意する必要がある。

(5) 引火点が極端に低いということは、冷所で貯蔵する必要がある。

39 解答 (1) × (2) ○ (3) ○ (4) ○ (5) ○

解説 灯油や軽油との識別のため、オレンジ色に着色されている。

40 解答 (1) ○ (2) × (3) ○ (4) ○ (5) ○

解説 発火点は、灯油より高い。ガソリンの引火点は－40℃以下、発火点は約300℃で、灯油の引火点は40℃以上、発火点は220℃である。

41 解答 (1) ○ (2) ○ (3) × (4) ○ (5) ○

解説 アセトンの特性は、以下のとおりである。

揮発性、無色透明で特異臭のある液体で、水や有機溶剤にはよく溶ける。比重は0.79、沸点57℃、引火点－20℃、発火点465℃、蒸気比重2.0、燃焼範囲2.15～13.0％。

42 解答 (1) ○ (2) ○ (3) ○ (4) ○ (5) ×

解説 ベンゼンは、水には溶けない。その特性は、以下のとおりである。

無色透明で芳香臭のある液体で、水には溶けないが有機溶剤にはよく溶ける。揮発性、毒性が強く、蒸気を吸入すると中毒症状を起こす。比重は0.88、沸点80℃、引火点－10℃、発火点498℃、蒸気比重2.77、燃焼範囲1.3～7.1％。

43 解答 (1) ○ (2) ○ (3) ○ (4) × (5) ○

解説 ベンゼンは水とは反応しないので、禁水性物品ではない。

44 解答 (1) × (2) ○ (3) ○ (4) ○ (5) ○

解説 アルコールの燃焼は、炎が見えないほど淡く、燃焼気体もクリーンである。

45 解答 (1) ○ (2) ○ (3) ○ (4) ○ (5) ×

解説 メチルアルコールの発火点は、385℃。エチルアルコールの発火点は、363℃。

46 解答 (1) ○ (2) ○ (3) ○ (4) ○ (5) ×

解説 エチルアルコールの引火点は13℃、メチルアルコールの引火点は11℃である。

47 解答 (1) ○ (2) ○ (3) × (4) ○ (5) ○

解説 エチルアルコールは、特有の芳香がある。酒の主成分であることから毒性のないことは理解できよう。ただし、メチルアルコールには毒性がある。

48 解答 (1) ○ (2) ○ (3) ○ (4) ○ (5) ×

解説 毒性があるのはメチルアルコールで、エチルアルコールは特有の芳香があり、酒の主成分である。メチルアルコールとエチルアルコールの特性比較は以下のとおりである。

(メチルアルコール)	(エチルアルコール)
①引火点……11℃	13℃
②発火点……385℃	363℃
③蒸気比重…1.11	1.59
④沸点………65℃	78℃

49 解答 (1) × (2) × (3) × (4) ○ (5) ×

解説 選択肢(4)のとおりで、アルコール類の火災には普通の泡消火剤ではなく、耐アルコール泡消火剤が使用される。

50 解答 (1) ○ (2) ○ (3) × (4) ○ (5) ○

解説 灯油の引火点は40℃以上で、発火点は220℃である。

51 解答 (1) × (2) × (3) × (4) × (5) ○

(1) 水には溶けない。

(2) 常温、つまり気温20℃ぐらいでは自然発火はしない。発火点は220℃である。

(3) 常温、つまり気温20℃ぐらいでは引火危険は低い。引火点は40℃以上である。ただし、常温でも噴霧状あるいはウエスや綿等に染み込んだ灯油には引火の危険性がある。

(4) 静電気は摩擦によって発生する。

52 解答 (1) × (2) ○ (3) ○ (4) ○ (5) ○

解説 霧状になっている灯油や綿等に染み込んでいる場合には、引火点に達していなくとも、また常温でも引火の危険性が高い。

53 解答 (1) × (2) ○ (3) ○ (4) ○ (5) ○

解説 軽油は淡黄色または淡褐色に着色されている。一方、自動車ガソリンは灯油等と判別しやすいようにオレンジ色に着色されている。

54 解答 (1) ○ (2) ○ (3) × (4) ○ (5) ○

解説 軽油の蒸気比重は4.5と重く、低所に滞留しやすい。また、ガソリンと混合すると引火点が下がり、危険度が増す。

55 解答 (1) ○ (2) ○ (3) ○ (4) × (5) ○

解説 灯油の引火点は40℃以上、軽油の引火点は45℃以上である。

56 解答 (1) × (2) ○ (3) ○ (4) ○ (5) ○

解説 キシレンの蒸気比重は3.66と空気より重い。また、液比重は0.86～0.88と水より軽くかつ水には溶けない。

57 解答 (1) ○ (2) ○ (3) ○ (4) × (5) ○

解説 クロロベンゼンの液比重は1.11と水より重い。また、水には溶けないがアルコール類にはよく溶ける。

58 解答 (1) ○ (2) ○ (3) ○ (4) ○ (5) ×

解説 酢酸の融点は16.6℃、引火点は41℃である。したがって15℃で凝固する。

59 解答 (1) ○ (2) × (3) ○ (4) ○ (5) ○

解説 酢酸の発火点は463℃である。

60 解答 (1) ○ (2) × (3) ○ (4) ○ (5) ○

解説 第3石油類の性状は、1気圧、20℃で液状のものと規定されている。

61 解答 (1) ○ (2) ○ (3) ○ (4) × (5) ○

解説 重油の液比重は0.99～1.00で、一般に水より軽い。また、水には溶けない。

62 解答 (1) ○ (2) × (3) ○ (4) ○ (5) ○

解説 重油は褐色または暗褐色の粘性のある液体である。

63　**解答**　(1)　×　(2)　○　(3)　×　(4)　×　(5)　×

(1)　クレオソート油は、無色または暗緑色で特臭のある液体である。

(3)　引火点は73.9℃である。

(4)　液比重は1.0以上で、やや水より重い。

(5)　水には溶けない。ただし、アルコール類にはよく溶ける。

64　**解答**　(1)　○　(2)　○　(3)　○　(4)　×　(5)　○

解説　クレオソート油は、黄色または暗緑色の特臭のある液体である。

65　**解答**　(1)　×　(2)　×　(3)　○　(4)　×　(5)　×

解説　グリセリンは無色透明な粘りけのある液体で、水とアルコール類によく溶ける。その物品としての特性は、以下のとおりである。

比重は1.26、引火点177℃、発火点370℃。

66　**解答**　(1)　○　(2)　×　(3)　×　(4)　×　(5)　×

解説　ここでは、引火点が高いということは危険度が低いということをしっかりと理解することが重要である。

67　**解答**　(1)　○　(2)　○　(3)　×　(4)　○　(5)　○

解説　第4石油類は比重が1より小さく、水に浮かび、水には溶けない。第4石油類の物品の特性は、以下のとおりである。

常温で液状であり、引火点が200℃以上250℃未満のものに限られる。

68　**解答**　(1)　×　(2)　×　(3)　×　(4)　○　(5)　×

(1)　水には溶けない。

(2)　火災になると高温で燃焼し、消火が困難になる。

(3)　引火点は高く、200℃以上250℃未満である。

(5)　加圧は直接的には発火にはつながらない。

解説　第4石油類は、常温で蒸気を発生することはないが、200℃以上に加熱すると引火危険が生じる。

69　**解答**　(1)　○　(2)　○　(3)　×　(4)　○　(5)　○

解説　動植物油の引火点は250℃未満である。

70　**解答**　(1)　○　(2)　○　(3)　○　(4)　○　(5)　×

解説　動植物油類の危険は、自然発火である。自然発火の危険は、以下の条件のときに起こる。

① 酸化熱の蓄積により起こる。

② ヨウ素価が大きいほど起こる。

③ 乾性であるほど起こる。

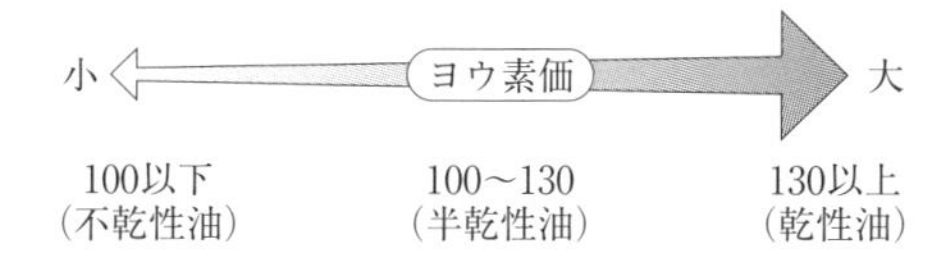

71 解答 (1) ○ (2) × (3) × (4) × (5) ×

解説 ぼろ布などに染み込んだ動植物油類は、空気との接触面積が広がって、酸化されやすくなる。結果として、酸化熱の蓄積が増幅されて自然発火にいたる。

72 解答 (3)

解説 第３石油類の重油火災時の消火方法は、泡・二酸化炭素・粉末・ハロゲン化物による窒息消火が基本である。棒状の液体による消火は、沸騰した重油を飛散させるだけで余計に火勢をあおることになる。

73 解答 (1) × (2) × (3) × (4) ○ (5) ×

(1) 発火点に達したからではなく、可燃性蒸気に引火したからである。

(2) 周囲の温度と引火は直接関係はない。

(3) 静電気の発生と引火は直接関係はない。

(5) 熱を伝って風上まで可燃性蒸気が移動することはない。

解説 ガソリンの引火点は－40℃以下である。つまり、常温でも可燃性蒸気が発生しており、火源があればいつでも引火する危険がある。また、蒸気比重が３～４と空気よりはるかに重いため、床をはうように流れる。

74 解答 (1) ○ (2) ○ (3) ○ (4) × (5) ○

解説 洗浄のために水蒸気をタンク内に噴出させるときは、静電気の発生を防止するため、低圧で慎重に洗浄する。

— MEMO —

— MEMO —

乙種第4類危険物取扱者　スピード問題集〔第5版〕

2006年4月1日　初版　第1刷発行
2024年10月20日　第5版　第1刷発行

編著者　TAC株式会社（危険物研究会）
発行者　多田敏男
発行所　TAC株式会社　出版事業部（TAC出版）
〒101-8383
東京都千代田区神田三崎町3-2-18
電話 03（5276）9492（営業）
FAX 03（5276）9674
https://shuppan.tac-school.co.jp
組版　株式会社　グラフト
印刷　株式会社　ワコー
製本　株式会社　常川製本

ISBN 978-4-300-11256-4
N.D.C. 317

(2024年2月現在)

書籍のご購入は

1 全国の書店、大学生協、ネット書店で

2 TAC各校の書籍コーナーで

資格の学校TACの校舎は全国に展開!
校舎のご確認はホームページにて

資格の学校TAC ホームページ
https://www.tac-school.co.jp

3 TAC出版書籍販売サイトで

TAC 出版 で 検索

https://bookstore.tac-school.co.jp/

新刊情報をいち早くチェック!

たっぷり読める立ち読み機能

学習お役立ちの特設ページも充実!

TAC出版書籍販売サイト「サイバーブックストア」では、TAC出版および早稲田経営出版から刊行されている、すべての最新書籍をお取り扱いしています。
また、会員登録(無料)をしていただくことで、会員様限定キャンペーンのほか、送料無料サービス、メールマガジン配信サービス、マイページのご利用など、うれしい特典がたくさん受けられます。

サイバーブックストア会員は、特典がいっぱい!(一部抜粋)

通常、1万円(税込)未満のご注文につきましては、送料・手数料として500円(全国一律・税込)頂戴しておりますが、1冊から無料となります。

専用の「マイページ」は、「購入履歴・配送状況の確認」のほか、「ほしいものリスト」や「マイフォルダ」など、便利な機能が満載です。

メールマガジンでは、キャンペーンやおすすめ書籍、新刊情報のほか、「電子ブック版TACNEWS(ダイジェスト版)」をお届けします。

書籍の発売を、販売開始当日にメールにてお知らせします。これなら買い忘れの心配もありません。

書籍の正誤に関するご確認とお問合せについて

書籍の記載内容に誤りではないかと思われる箇所がございましたら、以下の手順にてご確認とお問合せをしてくださいますよう、お願い申し上げます。
なお、正誤のお問合せ以外の**書籍内容に関する解説および受験指導などは、一切行っておりません。**
そのようなお問合せにつきましては、お答えいたしかねますので、あらかじめご了承ください。

1 「Cyber Book Store」にて正誤表を確認する

TAC出版書籍販売サイト「Cyber Book Store」の
トップページ内「正誤表」コーナーにて、正誤表をご確認ください。

CYBER BOOK STORE TAC出版書籍販売サイト

URL:https://bookstore.tac-school.co.jp/

2 1の正誤表がない、あるいは正誤表に該当箇所の記載がない ⇒ 下記①、②のどちらかの方法で文書にて問合せをする

★ご注意ください★

お電話でのお問合せは、お受けいたしません。
①、②のどちらの方法でも、お問合せの際には、「お名前」とともに、
「対象の書籍名(○級・第○回対策も含む)およびその版数(第○版・○○年度版など)」
「お問合せ該当箇所の頁数と行数」
「誤りと思われる記載」
「正しいとお考えになる記載とその根拠」
を明記してください。
なお、回答までに1週間前後を要する場合もございます。あらかじめご了承ください。

① ウェブページ「Cyber Book Store」内の「お問合せフォーム」より問合せをする

【お問合せフォームアドレス】

https://bookstore.tac-school.co.jp/inquiry/

② メールにより問合せをする

【メール宛先　TAC出版】

syuppan-h@tac-school.co.jp

※土日祝日はお問合せ対応をおこなっておりません。
※正誤のお問合せ対応は、該当書籍の改訂版刊行月末日までといたします。

乱丁・落丁による交換は、該当書籍の改訂版刊行月末日までといたします。なお、書籍の在庫状況等により、お受けできない場合もございます。
また、各種本試験の実施の延期、中止を理由とした本書の返品はお受けいたしません。返金もいたしかねますので、あらかじめご了承くださいますようお願い申し上げます。

(2022年7月現在)